© EDITORIAL ANDRÉS BELLO
Av. Ricardo Lyon 946, Santiago de Chile

Inscripción Nº 89.379

Se terminó de imprimir esta primera edición
en el mes de febrero de 1994
Tirada Club: 12.000 ejemplares
Tirada Librerías: 3.000 ejemplares

IMPRESORES: Alfabeta

IMPRESO EN CHILE/PRINTED IN CHILE

ISBN   Club Nº 956-13-1206-9
        Lib. Nº 956-13-1207-7

MARÍA LUISA BOMBAL

LA HISTORIA
DE MARÍA GRISELDA

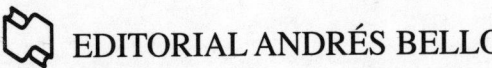 EDITORIAL ANDRÉS BELLO

PALABRAS NECESARIAS

El interminable prólogo que en el invierno de 1976 escribí para la primera edición en Chile de *La historia de María Griselda* era todavía más largo. Y no por mi culpa. La propia María Luisa me urgió con insistencia a hacerlo así, ya que debía contribuir a engrosar la publicación de su *nouvelle* y, por lo tanto, medir, por lo menos, la misma cantidad de carillas que requirió la transcripción tomada de la versión original aparecida en la revista *Norte,* de Estados Unidos.

El libro tenía que aparecer en un plazo perentorio, es decir, "antes" que se otorgara el Premio Nacional de Literatura de Chile. Con ella sucedía un hecho complejo: todos habían leído sus libros, pero nadie recordaba a la autora. Ningún jurado se decidía a premiarla. Si María Griselda echaba a caminar de pronto frente a los jueces, si la autora de "sólo dos novelas" daba a conocer una tercera, podía suscitarse algo. "Rulfo ha escrito únicamente dos novelas y nadie se lo reprocha: en mí parece poco", suspiraba. Y el propio Rulfo la admiró y hasta reconoció su influencia.

Vaciló mucho: "Está inconclusa, no tiene un final. Y si vuelvo a leerla, le haré mil correcciones, y, finalmente, no me gustará, y no querré hacer nada. Y la publicación de la revista *Norte* agregó errores por su cuenta, y ya no me siento con fuerzas para retomar el hilo..."

Entonces sonó el timbre. Siempre suena un timbre. Era el periodista y editor Roberto Silva, del diario e imprenta *El Observador,* de Quillota. Quería conocer a María Luisa. Cayó en mi casa como el principito de su

5

asteroide, por azar. Allí estaba ella. Lo sedujo de inmediato. Fue recíproco. La idea de convertirse en el editor primero de María Griselda en nuestro país estalló como una bengala.

"Necesito el libro y el prólogo para mañana", dijo Roberto como si se tratara de la edición de su semanario. Me senté a la máquina y escribí desde las doce de la noche a las cinco o seis de la mañana. Veinte carillas para el prólogo. Veinte para María Griselda. Y el cuento *Trenzas*, por añadidura. Las páginas de la revista *Norte*, con la gran ilustración del pintor Mario Carreño, se desplegaban bajo la lámpara como borrosas mariposas nocturnas. Desde la década del 40 acompañaban a la escritora en sus valijas de archivos y recuerdos. También había sido publicado el relato en la revista *Sur*, de Victoria Ocampo, en 1946, y en revistas de Colombia.

Ahora, en Viña del Mar, iba a convertirse en una pequeña novela. En el dibujo del pintor Carreño, María Griselda corre feliz tras una inmensa mariposa azul mientras su caballo blanco gira su cuello para mirarla en medio del follaje. Lleva el pelo adornado de pececillos de colores y no falta el pequeño sapo enamorado de ella que la esperaba al pie de la escalinata a su retorno del río y que ahora la mira entre anchos abejorros y flores.

"*María Griselda*, historia que escribí después de *La amortajada*, es tal vez de mis personajes el que más quiero y me atrae", confesó en una entrevista, dos años después de la publicación del libro. Su éxito, al aparecer, fue el que sus amigos esperábamos. La crítica se volcó en su favor y los periodistas surgieron como de un bosque invisible para correr tras ella. Reaparecieron y aparecieron admiradores por todas partes, y ella, la escritora, emocionada y feliz, parecía no creer tanto alboroto. Largo había sido el silencio. Pero... el premio no llegó. Ese año era la favorita, como tantas veces, en las encuestas. Lo ganó un filólogo.

"Cualquiera puede escribir. Lo difícil es crear", comentó con tristeza. "Entregar un secreto del alma que nadie sabe y que tantas veces una misma ignora que ha descubierto. Se olvida al creador. Los gramáticos nos dan a los creadores los utensilios para que nosotros nos sirvamos de ellos. Pero los gramáticos no son escritores. No son artistas. Con estos premios dados así se está matando en Chile la imaginación. Parece que se quisiera suprimir la poesía, la fantasía, la verdadera creación literaria que no es cosa de académicos".

La historia de María Griselda había sido publicada con una franja impetuosa, firmada por Alone: "*Hace diez años que estoy pidiendo el Premio Nacional de Literatura para María Luisa Bombal. Es una vergüenza que no se lo hayan dado*".

Por cierto, su recepción a la nueva obra, inconclusa o no, fue entusiasta: "Unas pocas chispas le bastan para describir el ambiente y dar la atmósfera donde los hechos se desencadenarán. Todo ocurre alrededor de una criatura cuya belleza mágica recuerda un poco las heroínas de Poe y su paso leve suspendido entre la tierra y el cielo..."

El presbítero Fidel Araneda Bravo se apresura en exclamar: "Con María Griselda la narradora creó una heroína excepcional, tan atrayente que también se enamoran de ella los lectores, como deseaba la novelista..."

"Es una fiesta comenzar su nuevo libro oyéndola decir: "Recuerda que nadie había venido a su encuentro y que ella misma hubo de abrir la tranquera...", escribe en *Ercilla* Alfonso Calderón.

"Sólo Pablo Neruda con su genio torrencial y la autora de este breve volumen y de otros no mucho mayores, han removido tanto nuestro ambiente literario, han creado tales torbellinos, polémicas y misterios", insiste, aún, Alone.

"Treinta años han corrido desde que fuera lanzada a la circulación *La historia de María Griselda*, pero sus páginas conservan la frescura y el brillo iniciales, respetada, por el tiempo que todo lo destruye y aja", celebra el crítico y periodista Alex Varela en *El Mercurio* de Valparaíso.

Cuando se comenta que esta pequeña novela no está a la altura de sus predecesoras, conviene recordar que María Luisa no la concibió con ese ánimo y por algo escribió tan sencillamente en el subtítulo de revista *Norte:* "En donde se continúa un relato que vieron nuestros lectores esbozado en la novela *La amortajada*".

Sin embargo, en su primera aparición en Chile, fue premiada con el Libro de Oro, por la Sociedad de Amigos del Libro, presidida por Oreste Plath, y en la segunda, de Ediciones Universitarias de la Universidad Católica de Valparaíso, el año 1977, recibió el premio de la Academia Chilena de la Lengua. Al año siguiente, en el tercer congreso de escritores de las Américas (Ottawa, Canadá) supera todos los récords al ser "la escritora más estudiada y comentada". Se le llamó "la verdadera madre de todos los escritores latinoamericanos contemporáneos".

María Griselda, que no lleva su belleza a la manera de Narciso, enamorado de su propia imagen, sino a la inversa del mito, como una desgracia, tuvo en su debut en Chile una edición de tiraje limitado, pero que cumplió su anhelo de llegar a todos, en especial a la juventud, que siempre ocupó un lugar de preferencia en su corazón. Incluyó una primera cronología, dictada por ella misma, con algunos errores, y una breve bibliografía. Novecientos ejemplares en papel de imprenta y cien en papel blanco, numerados y firmados por la autora. Los diez primeros ejemplares numerados fueron entregados por ella a diez personas: Hernán Díaz Arrieta (Alone), Juan Guzmán Cruchaga, Jorge Luis Borges, Ramón Eyzaguirre Gutiérrez, Arturo Prat Echaurren, Luisa Wilson del Solar, Nina Anguita de Rodríguez, Olga Arellano Salgado, Sara Vial de Lüer y Roberto Silva Bijit. Sus nombres aparecen en la edición.

En la portada, reproducción del óleo *Écrivain devant la fenêtre,* de Berthe Morisot.

La segunda edición, a cargo de Ediciones Universitarias de Valparaíso, se imprimió en 1977, en tres mil ejemplares, con portada del diseñador Allan Brown, y la ilustración del pintor Mario Carreño, reproducida de revista *Norte.*

A la presentación editorial de este libro asistió desde Buenos Aires el poeta Jorge Luis Borges. Se mantuvo el cuento *Trenzas* y se suprimieron cronología y bibliografía. El prólogo fue disminuido levemente.

Washington, ciudad de las ardillas, hermoso relato que proyectábamos incluir, no figuró, finalmente, como tampoco *Cielo, mar y tierra,* ninguno de los cuales se ha publicado en libros hasta la fecha. Hoy parece a propósito incorporarlos a esta nueva *María Griselda,* que realiza Editorial Andrés Bello, aportando nuevas facetas.

El primer texto lo escribió en su larga residencia de treinta años en Estados Unidos y el segundo es la versión original de la cual proviene su cuento *Lo secreto,* desde el primer fragmento dedicado al mar. Iba a hacer lo mismo con los otros dos, cielo y tierra, pero nunca concretó la idea.

De parecido modo, sus memorias publicadas en la antología *El niño que fue,* bajo el título *La maja y el ruiseñor,* se originaron en el brevísimo y bello relato publicado en la revista *Viña del Mar,* que dirigía Luisa Wilson del Solar en 1960 y que posteriormente reprodujo la revista literaria *Círculo,* del Círculo de Escritores de la misma ciudad, en 1968.

Este trabajo tampoco ha sido incluido en libro hasta la fecha y María Luisa retomó su primera versión, ampliándola y agregándole anécdotas, a pedido de los editores de la mencionada antología, que necesitaban una visión más amplia del recuerdo de su ciudad natal en la que vivió hasta los doce años de edad, cuando, a la muerte de su padre, fue llevada con sus dos hermanas a un colegio religioso de Francia. Esa primera Maja era más bien un suspiro exhalado desde los rascacielos de Nueva York, ante la visión lejana y siempre presente en ella de su Viña del Mar, en cuyo pasaje Monterrey naciera.

"Oigo el silencio de Viña del Mar en un día tibio de invierno... Silencio desgarrado a ratos por gritos gozosos de niños a caza de los tímidos, destructivos caracoles encendidos tras las enredaderas de geranios siempre en flor..."

Aunque confinada cerca del río Malleco allá en el Sur, donde despierta su historia, María Griselda, que inició su camino editorial por Chile el año 1976 desde Quillota, para proseguir atisbando desde las callejuelas marinas de Valparaíso en 1977, surge ahora desde el verano de 1994 en Santiago, seguida por su caballo blanco o luciendo en el pecho esa flor amarilla con que la admira Fred por primera vez. Esa flor que acaso sea la misma que una tarde de melancolía en Viña, hundida ya María Luisa Bombal en lo que sería el preludio de su triste y solitaria muerte en un hospital de Santiago, la deslumbra repentinamente en la mano casual de mi hermana Ana Luz, que llega a verla al piso 17 de su pequeño departamento en el centro de la ciudad: *"Any, Any"*, le dice exaltada como una adolescente: *"¿cómo sabías que esta tarde sólo necesitaba una flor amarilla para ser feliz?"*

Vivió obsesionada por el olvido, torturada de ver llegar el día en que ya no se leyeran, o imprimieran, sus obras. Qué feliz habría sido hoy, sobre todo al saber que aparecerá debidamente corregido un párrafo equivocado que estropeó para ella la felicidad de ver publicada en Chile su *nouvelle* por primera vez. "¡Han echado a perder el párrafo más hermoso, aquel en que describo los ojos de María Griselda!"

Lo peor de todo es que ese párrafo prosiguió surgiendo reproducido en cuanta reedición se hizo, incluyendo la de sus obras completas, o casi completas, en España, bajo el sello de Seix Barral y que ella no alcanzó a conocer, pues apareció en primera edición en septiembre del año 1988.

María Luisa soñó (inútilmente) en vida ser publicada en España, donde hoy su obra despierta interés creciente y es estudiada del mismo modo en que lo es en universidades de numerosos países.

Esta edición española, que reúne (según la contraportada) *"por primera vez en un solo tomo la totalidad de la obra narrativa en castellano de María Luisa Bombal"*, publica *La última niebla, La amortajada*, los cuentos *Árbol, Trenzas, Lo secreto, Las islas nuevas* y *La historia de María Griselda*. Faltan, sin embargo, otros relatos, incluyendo los que dejó en borradores, *Noche de luna, El señor de Mayo*, una leyenda irlandesa sobre la Patrona de Irlanda, el texto (no comenzado, en todo caso) de un tema histórico sobre Diego de Almagro, que se propuso escribir en Viña del Mar. Además la traducción de la novela *Embrujo*, que emprendió sin éxito y que quiso publicar en Chile Joaquín Almendros, de Orbe, y que no era sino la famosa *House of mist*, que la Paramount le compró en 125.000 dólares en la década del cuarenta.

Embrujo fue el nombre con que ella quiso publicarla en castellano, pero la agotó el esfuerzo y desechó la idea para siempre. La novela empieza diciendo: "La historia que voy a contar es la historia de mi propia vida y empieza por donde en general todas las historias terminan, por el matrimonio".

Como *María Griselda, Embrujo* está ambientada en el boscoso Sur de Chile y no es, desde luego, *La última niebla*. Sin embargo, fue esa novela cuyos derechos compró la Paramount (sin realizar jamás la película que iba a protagonizar Audrey Hepburn) la que los estusiasmó; sólo que les pareció más que una novela, "un poema". Algo así como ocurrió con La *maja y el ruiseñor*. Le pidieron rearmarla, agregarle suspenso, narración y más historia. Y acción. Ella lo hizo por razón económica y no artística, pues sabía que era *La última niebla* SU novela y no hubiera querido tocarla. En esa época trabajaba escribiendo libretos radiales para la Unesco, doblaba la voz de Judy Garland para una película y realizaba guiones cinematográficos.

Como se sabe, escribió asimismo varias obras de teatro en inglés, que por diversas razones nunca fueron representadas, entre ellas *El canciller*, la más importante de todas. Ella, sin embargo, sólo confería importancia a sus obras escritas en su propio idioma, al que se refiere con orgullo en el discurso pronunciado al ser homenajeada en Chile por la Academia Chilena de la Lengua.

"Aunque la fuerza de las circunstancias me han obligado a pasar más de la mitad de mi vida hablando y escribiendo en otros idiomas", dice (empezó en París escribiendo directamente en francés), nunca olvidó que su verdadera herramienta de expresión fue "este castellano nuestro, tan rico, grande y estricto, al que no vencen modas: esta lengua en la que todo escritor puede elegir su modo de expresión, ya sea dentro de lo espontáneo o perfeccionista, de lo natural o sofisticado, de lo gracioso o majestuoso y en el que nunca, si tratado con dedicación y amor, puede su estilo dejar de ser noble y clásico".

Leamos a *María Griselda* en español, como a ella le habría gustado. En la bruma, más espesa que la de *La última niebla*, quedó su novela postrera, la que la obsesionó hasta el momento mismo de morir: "*Y Caín lloró*". Borroneó capítulos en Viña del Mar, que luego destruyó sin remedio. ¿O andará alguno, fantasmeando, por allí?

Era un diálogo que sostendrían Caín y el propio Dios. Un tema bíblico que prometió en su lecho de muerte a su marido, Phal, en Nueva York. Ella desprendió de las manos ya frías de Phal el rosario de amatistas en que la vi rezar en sus atormentados días, cuando vivió unos meses con mi madre antes de partir a Santiago, a morir.

"Se lo prometí a él, y mi novela está sólo en mi cabeza, no la puedo escribir", se quejaba apretando el rosario entre sus largos dedos.

En fin, María Griselda, su heroína preferida, resucita. Con ella, desde donde esté, María Luisa volverá a sonreír.

SARA VIAL

Viña del Mar, enero de 1994

PRÓLOGO A LA PRIMERA EDICIÓN[*]

Hay cosas que se gestan al azar y de pronto se abren en nuestra mano en un maduro fruto, un seguro relámpago.

Emergen entre viajes, maletas que se pierden, manuscritos borrosos, amarillos recortes de revistas... y años, muchos años, como trenes o aviones desatando distancias, acercando sucesos, resguardando vertientes ignoradas, piedras que se han lanzado sobre un agua que de golpe se eleva en una ola verde, moviendo como un tallo un nombre, una corola.

Así, de tal manera nos ocurre con María Griselda. Sucedió de improviso, en este invierno de la costa, una tarde cualquiera, hablando de otras cosas, hojeando remembranzas, trayendo a la memoria seres desvanecidos, conversando de la vida y la muerte. Y mirando llegar otro día a la Muerte, llevándose unos ojos que se habrían quebrado un poco, de tristeza y alegría, al leerte, feliz resucitada, oh María Griselda de este cuento inefable, rescatado al olvido, la única ceniza.

Porque, María Luisa, así se fue tu madre en el mes de julio —y así guardas suspensas narraciones que aún desconocemos, tal como te has quedado, suspensa ante el vacío, con leyendas y sueños en las manos. Y no es justo, pensamos, dejarlas allá lejos, más allá de tus días de otro tiempo, mirar cómo se vuelan sobre el mar las enlutadas

---

[*] La primera edición de *La historia de María Griselda* fue publicada por Editorial El Observador de Quillota, en 1976.

15

trenzas de María Griselda, las trenzas encendidas de aquella moribunda de tu pequeño cuento, tan lúcido y fantástico, raptado como un soplo a tus visiones.

Y he aquí que hemos juntado, como se unen pétalos dispersos, estos dos cuentos tuyos en que el tiempo, en verdad, no ha envejecido, pues silenciosas fuerzas de la naturaleza le siguen dando vida, la misteriosa vida que se arrancan, cierto es, María Luisa, las mujeres cuando cortan sus trenzas, como tú nos lo dices. "Y es por eso que las mujeres de ahora al desprenderse de sus trenzas han perdido su fuerza divina y no tienen premoniciones, ni goces absurdos, ni poder magnético...". Pues, "las verdes enredaderas que se enroscan a los árboles, las dulces algas a las rocas, son cabelleras desmadejadas, son la palabra, el venir y aletear de la naturaleza, son su alegría y melancolía, son su expresión por medio de la cual la naturaleza infiltra confusamente su magia y saber a los seres". María Griselda no cortó sus trenzas y mantuvo florecida su firmeza esencial, sin distraer el vínculo anterior a sí misma, al crecimiento y al descanso final. La asociación acude al leer estos cuentos. Largo el uno, de sostenido aliento, dramático y suspenso; breve el otro como una pincelada de coloreada magia y pensamiento, a través de la cual, algo así como el mojado olor a pinos de la Quinta Vergara, nos llega en sus resinas.

Los nombro al mismo tiempo y como soy sólo una absorta lectora —nunca un crítico—, hoy debo presentar estos milagros, estos suaves milagros, buscadora fortuita, una rescatadora ocasional de *La historia de María Griselda* y de estas *Trenzas*, que quisieron tal vez entrelazarse de alguna forma a ella, al tronco grácil, sureño, de su nombre, corriendo río abajo en el Malleco, en donde "un ejército de árboles bajaba denso, ordenado, implacable, por la pendiente de helechos hasta hundir sus primeras filas en la neblina encajonada allá abajo, entre los murallones del cañón".

María Griselda surgirá por primera vez entre las llamas de un cirio, donde su retrato se volverá ceniza prematura, antes de que exista como un rostro viviente. Quizás ella, en verdad, no haya sido sino una fuerza pura de la naturaleza, hija de los relámpagos de una hacienda del Sur, donde todos parecen temerla o detestarla, amarla, desconocerla y, finalmente, perderla a cada instante. Es una ninfa de los bosques condenada a vivir entre los hombres.

Los personajes femeninos de María Luisa Bombal poseen en común un misterioso rasgo de irrealidad, un andar en puntillas por las páginas, aunque se den en ellas las pasiones humanas, las más hondas, las alucinaciones y las ansias que al alma femenina vuelven compleja y honda, como un lago de tersa superficie y denso fondo. El estanque de *La última niebla, ¿*lo recuerdan...?

"Hoy he visto a mi amante. No me canso de pensarlo, de repetirlo en voz alta. Necesito escribir; hoy lo he visto, hoy lo he visto. Sucedió este atardecer, cuando yo me bañaba en el estanque.

De costumbre permanezco allí largas horas, el cuerpo y el pensamiento a la deriva. A menudo no queda de mí, en la superficie, más que un vago remolino; yo me he hundido en un mundo misterioso donde el tiempo parece detenerse bruscamente, donde la luz pesa como una sustancia fosforescente, donde cada uno de mis movimientos adquiere sabias y felinas lentitudes y yo exploro minuciosamente los repliegues de ese antro de silencio. Recojo extrañas caracolas, cristales que al traer a nuestro elemento se convierten en guijarros negruzcos e informes. Remuevo piedras bajo las cuales duermen o se revuelven miles de criaturas atolondradas y escurridizas.

Emergía de aquellas luminosas profundidades, cuando divisé a lo lejos, entre la niebla, venir silencioso, como una aparición, un carruaje todo cerrado. Tambaleaban penosamente los caballos, se abrían paso entre los árboles y la hojarasca sin provocar el menor ruido.

Sobrecogida me agarré a las ramas de un sauce y no reparando en mi desnudez, suspendí medio cuerpo fuera del agua.

El carruaje avanzó lentamente hasta arrimarse a la orilla opuesta del estanque. Una vez allí, los caballos agacharon el cuello y bebieron, sin abrir un solo círculo en la tersa superficie.

Algo muy grande para mí iba a suceder. El corazón y mis nervios lo presentían.

Tras la ventanilla estrecha del carruaje, vi, entonces, asomarse o inclinarse, para mirarme, una cabeza de hombre.

Reconocí inmediatamente los ojos claros, el rostro moreno de mi amante. Quise llamarlo, pero mi impulso se quebró en una especie de grito ronco, indescriptible. No podía llamarlo, no sabía su nombre. Él debió ver la angustia pintada en mi semblante, pues, como para tranquilizarme, esbozó a mi intención una sonrisa, un leve ademán de la mano. Luego, reclinándose hacia atrás, desapareció de mi vista.

El carruaje echó a andar nuevamente y sin darme tan siquiera tiempo para nadar hacia la orilla, se perdió de improviso en el bosque, como si se lo hubiera tragado la niebla.

¿Una mujer enamorada de un sueño, de un hombre que no existe en este mundo de apariencias y contornos? ¿La vida de los cuerpos, perecedera y frágil, o aquella otra en la cual María Luisa insiste —o presiente—, una consistencia de fuerza y sugestión mayor?

Tanto en *La amortajada*, como en *La última niebla* y otras narraciones, las heroínas son mujeres cuya vida interior es siempre más poderosa que la que viven exteriormente. Pero, ¿no ocurre siempre así en el alma de la mujer?

Allí está la indecible protagonista de *Islas nuevas*, dentro del escenario de una hacienda cercana a Buenos

Aires, cuyo soplo surreal y precursor nos vuelve al asombro que suscitan los cuentos de María Luisa al leerlos de nuevo. El suyo es un estilo diáfano, fresco, perpetuamente joven... aunque sus heroínas luzcan largos ropones de amazona, montando a la antigua en sus caballos.

Es Yolanda, que oculta su secreto, que al cruzar el salón lo hace con un paso demasiado liviano, sobre unos pies excesivamente pequeños y unos ojos de pájaro marino. Amada por Juan Manuel, que la asedia en vano, esta extraña mujer duerme cada noche sobre el lado del corazón, para no oprimir el ala de gaviota que le nace del hombro derecho. Todos sus cuentos son así, como cogidos de una red fantástica que nos lleva hacia un mundo de increíble temblor, que roza más allá de las palabras.

Se siente cerca de los poetas, tal vez porque ningún novelista chileno logra esa atmósfera de permanente poesía que rodea sus obras y las caracteriza dentro de nuestra literatura, pasada y presente. "Sólo quise llegar al corazón de todos, eso he buscado", me dijo en una entrevista. "Puede que lo haya conseguido y tal vez se deba a mi curiosidad y emoción por los misterios y secretos del alma y del espíritu de cada uno de nosotros —y, por último, a mi entusiasmo por ese milagro vivo y día a día renovado, de la naturaleza".

En la misma entrevista escribí: "Dos veces viuda, María Luisa es una mujer que en algo se parece a las mujeres de sus novelas, que no se acostumbran a la soledad —pero la llevan consigo, como un pájaro, dentro de sí—. Como ellas, parece transitar por grandes casas de fundo, aisladas por la niebla o el viento. Una mujer singular, en cuyo fondo parece dormir una niña extraída de un cuento escandinavo. Sus antepasados mendocinos la vinculan a la retrospección de grandes extensiones ganaderas en sus relatos.

"Todo lo que pasa en esta novela *La última niebla* pasa dentro de la cabeza y el corazón de una mujer que sueña y ensueña", nos dice el filólogo español Amado Alonso en el estudio que hace de dicha obra. "Escribir es un aliento de la tierra" —me dice—, "un aliento de Dios. Llega a uno como el viento, como un viento de Dios, que pasa. *Escribir es un ángel que pasa.* Un enigma que no tiene, no debe tener explicación". Cree que la juventud es quien mejor capta estos alientos y, aunque solitaria en el último tiempo, retraída del mundo y cada vez más reacia al trato social, se conmueve y anima cuando llegan hasta ella jóvenes estudiantes, parejas adolescentes, a conocerla, a conversar sobre su cuento *El Árbol,* que estudian dentro del plan de enseñanza educacional. Se alegra, se expande, como alguien que tiene frío y se reaviva con el sol. Siente el calor de esos corazones que empiezan a vivir y en donde sus palabras resucitan y adquieren nuevas dimensiones. "Los jóvenes me hacen sentir la comunicación que busco, aunque siempre me sorprende llegar aun a ellos, tocarlos en el corazón. Lo digo con gratitud, con alegría. *Pareciera que con la juventud logré mi anhelo.* Adentrarme en sus emociones y lograr que ella comparta las mías. Aunque la juventud moderna pareciera haberse vuelto fría, distinta o ajena, no es así. Pienso que el corazón, la emoción, siguen siendo en ellos los mismos que nuestra emoción. Creo que en sus vidas no ha cambiado la base verdadera y profunda, sólo a veces, la apariencia".

Y es por eso que cumplimos el deseo suyo de seguir llegando al corazón de todos, especialmente "al pensamiento y al corazón de los jóvenes y estudiantes", como ha querido expresar en la edición de este libro, dedicado a ellos.

"Ocurrió con ella como con Gabriela Mistral, que amando increíblemente a su patria, poco vivió en ella", dijo Alone. Sin embargo llevó el nombre de Chile más allá de nuestras fronteras, en el canto de distintos idiomas —y creemos que después de la Mistral, es la única escritora chilena que puede tener el orgullo de haberlo realizado—. "Jamás he dejado mi nacionalidad chilena, aunque pude optar por la alemana (por mi madre) o por la norteamericana, por estar casada con un ciudadano norteamericano", dijo en entrevista que publicara en la ex revista *Eva*, a la periodista Carmen Merino, hace algunos años, cuando aún María Luisa no enviudaba del conde francés Rafael de Saint Phalle, nacionalizado en Estados Unidos y cuya genealogía se remonta más allá de Juana de Arco. Vivía en ese entonces cerca del Central Park en Nueva York, Calle 73, lado Este, según datos de Carmen Merino. La atendía una cocinera negra y junto a ella estaba su hija única, Briggite, convertida hoy en una brillante profesora de Ciencias Matemáticas en la Universidad de Chicago y en una intrépida aviadora civil. Briggite (o Brígida, en español) se llama la protagonista del cuento *El árbol*. Es también el nombre de la Patrona de Irlanda Santa Brígida, heroína de una leyenda irlandesa poco conocida, en la que María Luisa estuvo trabajando un tiempo y que mantiene inconclusa, como otros manuscritos que conserva a buen recaudo de los curiosos.

Celosa de su intimidad literaria, implacable crítica de sí misma, escribe y pule con doloroso afán, con la honestidad del insobornable escritor, sin darse jamás por satisfecha. "Me cuesta tanto escribir. Por eso adoro lo que escribo", suele decir. Su rigor la lleva a fuertes depresiones, en un ansia de perfección que la angustia, pero no destruye en ella la fuerza de la búsqueda incansable. Carmen Merino le pregunta sobre el amor, el tiempo y la muerte, temas que destacan en sus creaciones.

"La mujer tiene un destino de amar. Es normal que muchas veces ese amor no reciba la misma respuesta. Pero lo importante es tener la capacidad de amar, profunda, enteramente. En mis personajes, los hombres quieren a la mujer. ¡Yo diría que les son casi indispensables! Pero ellos la quieren a su modo. Creo que en la vida real sucede lo mismo."

Sobre la muerte declara, con énfasis, algo que ha repetido años más tarde: "No creo que existe. Soy religiosa. Creo en una vida en el más allá donde los seres que se han ido tienen influencia sobre los que permanecen en la tierra. Personalmente, tengo más amigos entre los muertos que entre los vivos. La muerte me aterra, me da una curiosidad inmensa. Creo que lo peor sería descubrir que detrás de la muerte no hay nada. Sería tan terrible como creer que todo termina con ella. No lo pienso muy seguido, pero cuando reflexiono sobre la muerte, siempre termino leyendo la *Biblia*. Todas las respuestas están en el Nuevo Testamento. Me gusta especialmente un versículo de San Juan, que dice: "En la casa de mi Padre hay muchas moradas". Ese es un mensaje muy importante. Sobre su novela *La amortajada*, expresa que escribió ese libro en plena juventud. "Siempre vi que faltaba resolver el problema religioso. Lo dejé sin abordar, porque en esa época no lo tenía resuelto. Ahora, en la cuarta edición, lo afronto. *La amortajada* tenía su religión, tan adentro que no necesitaba hablar de ella. Su confesor lo sabía. Son sólo unas pocas líneas las que agregué. Creí que era honrado colocarlas, ahora que había resuelto ese problema".

Sobre el tiempo... "¿El tiempo? ¿Qué es el tiempo? Pero, ¿cómo se mide y se valoriza el tiempo?", se pregunta. "María Luisa juega con el tiempo, destierra relojes y calendarios". Es lo que da a sus libros, precisamente, una sensación muy peculiar, en que a veces sólo se escucha el tictac invisible, que más bien parece latir dentro del pecho de la autora. Por ello, sin duda, opina: "Un hecho ocurrido años atrás, puede hoy seguir siendo tan importante como lo que estoy haciendo en este momento. No existe el tiempo. Es una infame invención moderna para justificar el apresuramiento. Sencillamente, rehúso creer que existe. Para mí, mis amigos no envejecen jamás, pero no creo en el tiempo..."

Y es verdad, no creer en el tiempo es no creer en la muerte. Pero ella cree en el amor y en tal sentido su espiritualidad eleva a planos tan puros el amor físico, que no se encuentra en nuestra novelística otro fenómeno parecido. Nada ilustra con más pureza este sentimiento, que la escena de *La amortajada*, cuando la memoria de Ana María avanza en el futuro o retrocede a la infancia y adolescencia. "Me encontraba al pie de la escalera, sacudiendo las ramas cuajadas de gotas de un abeto. Apenas alcancé a oír el chapaleo de los cascos de un caballo cuando me sentí asida por el talle, arrebatada del suelo". Es el descubrimiento veloz del hombre, que al tomarla de la cintura y "alzarla en la delantera de la silla", le hará sentir lo masculino en un sentido de afirmativa protección y dominio. "Segundos más tarde, mientras me sujetabas por la cintura para ayudarme a bajar del caballo, comprendí que desde el momento en que me echaste el brazo al talle me asaltó el temor que ahora sentía, el temor de que dejara de oprimirme tu brazo. Y entonces, ¿recuerdas? me aferré desesperadamente a ti murmurando, "Ven", gimiendo "No me dejes"; y las palabras "Siempre" y "Nunca". Esa noche me entregué a ti nada más que por sentirte ciñéndome la cintura".

Y esa frase que lo dice todo: "Tú me hallabas fría porque nunca lograste que compartiera tu frenesí, porque me colmaba el olor a obscuro clavel silvestre de tu beso".

Alma de la mujer. Alma, que es paralelamente su cuerpo... "Porque *me colmaba* el olor a clavel silvestre de tu beso".

MARÍA GRISELDA

"¡Estoy tan contenta de sentir que un nuevo libro mío nacerá! Es tan hermoso hacerlo aquí, en Valparaíso". Porque María Griselda estaba muerta. Estaba casi tan muerta como *La amortajada*, y ahora despierta. En Chile no la conoce nadie. Gustó mucho en Buenos Aires cuando fue publicada allá y también en EE.UU. hace unos años. Otra vez apareció en Colombia. Ocurrió lo mismo con mi cuento *Trenzas*, que ahora he corregido especialmente. *La historia de María Griselda* está como fue escrita, ni siquiera quise leer el cuento de nuevo, para no quitarle su propio temblor. Quisiera una cosa: ¡que los hombres se enamoraran de María Griselda! Ríe abiertamente, risa que no es pródiga en ella, aunque tiene el más aguzado sentido del humor. Es dable apreciar, dentro de su luto, de las muchas muertes que la acompañan (su marido murió hace siete años), cómo se sobrepone en ella, en su frágil consistencia física, la fuerza de su fiereza interior.

Nos habla del Malleco, donde se desarrolla el cuento, río de su niñez, cuando iba con sus hermanas a un fundo del Sur, conocedora de todos esos bosques y lugares, "de las enormes raíces convulsas que se encrespan casi a un metro del suelo". Oírla es como ver reaparecer a María Griselda entre los árboles, con la mano en la brida de su caballo, intemporal y presente.

María Griselda, nuera de *La amortajada*, fugazmente esbozada en la inmortal novela, en dos breves escenas. Primero, la noche en que Ana María, extendida en su lecho de muerta, es testigo del gesto mísero de su hijo que creyéndose solo, rebusca la última fotografía que resta de su mujer (impedida de velar siquiera unos instantes a la muerta), y quema en la llama de uno de los cirios la fotografía que guardaba su madre.

Habla *La amortajada:* "Ahora sólo queda cerca de ella el marido de María Griselda".

¿Cómo es posible que ella también llame a su hijo, "el marido de María Griselda"?

¿Por qué? ¡Porque cela a su hermosa mujer!

¡Porque la mantiene aislada en un lejano fundo del Sur!

La noche entera ella ha estado extrañando la presencia de su nuera y le ha molestado la actitud de Alberto;

de este hijo que no ha hecho sino moverse, pasear miradas inquietas alrededor del cuarto. Ahora que, echado sobre una silla, descansa, duerme tal vez..., ¿qué nota en él, de nuevo, de extraño... de terrible? Sus párpados. Son los párpados los que lo cambian, los que la espantan; unos párpados rugosos y secos, como si cerrados noche a noche sobre una pasión taciturna, se hubieran marchitado, quemados desde adentro.

Es curioso que lo note por primera vez. ¿O simplemente es natural que se afine en los muertos la percepción de cuanto es signo de muerte?

De pronto aquellos párpados bajos comienzan a mirarla fijamente, con la insondable fijeza con que miran los ojos de un demente.

¡Oh, abre los ojos, Alberto!

Como si respondiera a la súplica, los abre, en efecto... para echar una nueva mirada recelosa a su alrededor. Ahora se acerca a ella, su madre amortajada, y le toca la frente como para cerciorarse de que está bien muerta.

Tranquilizado se encamina resuelto hacia el fondo del cuarto. Ella lo oye moverse en la penumbra, tantear los muebles, como si buscara algo. Ahora vuelve sobre sus pasos con un retrato entre las manos. Ahora pega a la llama de uno de los cirios la imagen de María Griselda y se dedica a quemarla concienzudamente, y sus rasgos se distienden apaciguados a medida que la bella imagen se esfuma, se parte en cenizas.

Salvo una muerta, nadie sabe ni sabrá jamás cuánto le han hecho sufrir esas numerosas efigies de su mujer, rayos por donde ella se evade, a pesar de su vigilancia. ¿No entrega acaso un poco de su belleza en cada retrato? ¿No existe acaso en cada uno de ellos una posibilidad de comunicación?

Sí, pero ya el fuego deshojó el último. Ya no queda más que una sola María Griselda; la que mantiene secuestrada allá en un lejano fundo del Sur.

"¡Oh, Alberto, mi pobre hijo!"

La segunda aparición es más corporizada y solitaria. Ahora es Ana María que, cortadas las últimas amarras de la carne, se aleja en el viento y el espacio, con la velocidad de lo invisible; escapa para siempre de su cuerpo dormido, de los que la rodean y la miran "a la llama de los altos cirios", en donde, "cuantos la velaron se inclinaron para observar la limpieza y la transparencia de aquella franja de pupila que la muerte no había logrado empañar". Es el adiós a esa Ana María serenada, que fue joven y hermosa, como lo parece en el descanso final de las facciones y la suprema dejadez del cuerpo extendido y "envuelto en aquel batón de raso blanco que solía volverla tan grácil". Adiós a todo, a sus manos "levemente cruzadas sobre el pecho y oprimiendo un crucifijo... sus manos que han adquirido la delicadeza frívola de dos palomas sosegadas". Adiós a Zoila, que la criara, "¡antigua confidente de los días malos, dulce y discreta olvidada, en los de felicidad! Allí está, canosa pero todavía enjuta y sin edad discernible, como si la gota de sangre araucana que corriera por sus venas hubiera tenido el don de petrificar su antiguo perfil". En fin, adiós a todos, al esposo que llora con la cabeza sobre su cadera, a su hija "dorada y elástica" que en vida estuvo siempre lejos, a quien procura consolar sin palabras: "No llores, no llores, ¡si supieras! Continuaré alentando en ti y evolucionando y cambiando como si estuviera viva; me amarás, me desecharás y volverás a quererme. Y tal vez mueras tú antes que yo me agote y muera en ti. No llores..."

Deja atrás los recuerdos, las etapas, incluso el sentimiento de que ya "no le incomoda bajo la nuca esa espesa mata de pelo que durante su enfermedad se iba volviendo, minuto por minuto, más húmeda y más pesada", ese pelo que a su vez surge tan vital en el recuerdo de amor: "El viento. Mis trenzas aleteaban, se te enroscaban en el cuello..." Siempre la fuerza subterránea del cabello, las invencibles, femeninas trenzas...

Pero en fin, es entonces cuando la amortajada se fuga para siempre de la vida terrena y su espíritu, entregado al gesto de libertad suprema, junto con esta liberación, debe cumplir aún con una leve despedida mortal.

"Resignada, reclina la mejilla contra el hombro hueco de la muerte. Y alguien, algo, la empuja canal abajo a una región húmeda de bosques. Aquella lucecita, a lo lejos, ¿qué es? ¿Aquella tranquila lucecita?"

Es María Griselda, que se apresta a cenar. Junto con el crepúsculo, ha pedido la lámpara y ha hecho disponer el cubierto sobre la mesa de mimbre de la terraza. Junto con el crepúsculo, los peones abrieron las compuertas para regar el césped y los tres macizos de clavelinas. Y del jardín sumergido sube hacia la solitaria una ola de fragancia.

Las falenas aletean contra la pantalla encendida, rozan medio chamuscadas el blanco mantel.

¡Oh, María Griselda! ¡No tengas miedo si sobre la escalinata los perros se han erguido con los pelos erizados: soy yo!

Secuestrada, melancólica, así te veo, mi dulce nuera. Veo tu cuerpo admirable y un poco pesado, que soportan unas piernas de garza. Veo tus trenzas retintas, tu tez pálida, tu altivo perfil. Y veo tus ojos estrechos, de un verde sombrío, igual a esas natas de musgo flotante, estancadas en la superficie de las aguas forestales.

María Griselda, sólo yo he podido quererte. Porque yo y nadie más logró perdonarte tanta y tan inverosímil belleza. Ahora soplo la lámpara. No tengas miedo, deseo acariciarte el hombro al pasar. ¿Por qué has saltado de tu asiento? No tiembles así, me voy, María Griselda, me voy.

Y gracias a este cuento de María Griselda que hoy se publica por primera vez en Chile, lo que pareciera ser el final, no es sino el comienzo de la historia... Luego que su suegra, Ana María, sale fuera de sí misma para asumir "la muerte de los muertos", después de haber transpuesto ya "la muerte de los vivos".

Es así como la amortajada presta de golpe su misterio a María Griselda, víctima de su belleza, de los celos del marido empequeñecido en un amor que lo atenaza en su egoísmo, que buscará el alcohol para atontar el celo incandescente, desesperado en su cerrado túnel. Pero Ana María, ¿perderá su secreto? El cuento puede ser —puede también no serlo— un capítulo nuevo de *La amortajada*. Aunque en el fundo de Malleco estén los mismos nombres familiares, conocidos a través del velo lento y suave de la muerta que mira...

El impetuoso Fred, Alicia, Anita, el esquivo Rodolfo, la indestructible Zoila...

"María Luisa, ¿por qué inventaste una historia especial para María Griselda?"

"Porque era triste", me responde, "porque era bella y la dejé tan sola en mi novela. He conocido tantas mujeres cuya belleza ha sido para ellas un imán de desgracias. Ser bella no implica ser feliz. De ello se hace un mito. Se supone que la mujer, lo supone ella misma desde que empieza a serlo y antes aún, cuando es sólo una niña, que siendo hermosa será más feliz y todo en la vida le será más fácil..."

La breve historia mantendría su fulgor poético aun cuando María Griselda no proviniese de una novela consagrada, pues la forma en que todo se desenvuelve es otra y la misma Ana María lo es, en su forma sencilla y cotidiana, su papel secundario, que sólo sirve para hilar el encanto en torno a la protagonista verdadera. Por eso decimos que *ha cedido su lugar,* su lugar majestuoso. No es ella lo importante, ni lo que a ella ocurre. Y por otra parte, volviendo a la irrealidad y "al sueño y al ensueño" de los personajes de María Luisa, ¿por qué no pensar que Ana María no necesitó volver atrás en el tiempo —y esa mano suya que roza la tranquera, sigue siendo la misma mano impávida, invisible, que rozara al pasar, ánima en pena, el hombro solitario de la nuera que no pudo siquiera llegar a su mortaja, a susurrar un rezo junto a los otros hijos?

María Griselda o el espíritu de los bosques, amada por los pájaros, esperada por los insectos, es, desde luego, algo más que una mujer encerrada en el campo, ráfaga de la tierra, elemental como ella. Sólo los elementos naturales pueden por esto entenderla y hacerse comprender; el árbol, las vertientes. El deseo queda lejos y hasta el amor humano. Pero ella deja que el río le empape los cabellos, amante inmaterial y material, que adhiere pececillos vivos en las negras guedejas, diamantes más hermosos que todos los diamantes. Está más cerca del furor del río, que del furor genésico. ¡Pobre Alberto, en verdad!

Mis palabras al tocar este cuento y señalar su origen, sus frescas ligazones, sólo han buscado tender un puentecillo de cimbra solidaria, por donde cruzarás, lector desconocido, dando a estas imágenes el eco voluntario de tu pecho.

Poesía es hallar en las cosas lo que ellas sugieren. Si sugieren a cada uno algo distinto... eso es la poesía.

Y todo esto es el fruto que ponemos, lector, entre tus manos y es un hermoso sueño que se habría quedado en otra parte, como un cuento que jamás nos contaron. "Quiero que se enamoren de María Griselda. No importa que nadie se enamore de mí..., aun pueden enamorarse de lo que escribo".

Palabras de mujer, que necesita palparse las antenas con que sonríe María Luisa.

"Este cuento hará saber a los ingratos que hablan de mis olvidos, que yo, desde la ausencia, recordé siempre a Chile".

Son los ingratos que facilitaron, sin saberlo, que esta obra fuese entregada primero en países ajenos, al no existir en el nuestro la preocupación editorial que evite que los creadores chilenos emigren hacia mejores comprensiones.

"Un relámpago había desgarrado el cielo y tiritado lívido durante el espacio de un segundo. Luego fue un golpe sordo. Un trueno. Y otra vez el silencio espesándose".

No esperamos "el golpe sordo de un trueno" y tampoco "el silencio espesándose". Aquí está María Luisa, en el claro de un bosque. Es suficiente.

Hace años escribí: "Ya es hora que su nombre, atravesando como un rayo de sol el boscaje poético de su obra inmortal, toque la frente ciega de los críticos con un dedo acusador y diáfano..."

Ella no lo hará. Tal vez, sin proponérselo, lo intentará María Griselda, con sus mariposas. Secuestrada está, como ella, en un aislamiento oficial, inmerecido, una mujer que llevó el nombre de su país a diez idiomas, en las traducciones de sus obras. Las falenas se agitan en torno a su nombre cada año, impulsadas por las libélulas castañas de sus libros.

¿Por qué temen abrasarse entre sus llamas, los que pueden brindarle la hora de justicia, la mariposa de oro que roban cada año de sus manos, mirando hacia otra parte?

ABEJA DE FUEGO

"Abeja de fuego" la llamó Neruda, que ha de estarse sonriendo, allá en su estrella, con su Premio Nobel sobre las rodillas. Por encima de todas las tranqueras, él la admiró y la quiso. Las tranqueras que se llaman "ideológicas" y que son, si se trata de poetas, tan ilógicas.

Ha de estarse pensando: "¡Esta María Luisa!". Tan traviesa y terrible a los veinte años, con un humor feliz, relampagueante, tan encendida de su propio fuego. "Disfracémonos de 'caras'", propuso en Nueva York a un amigo. Y salieron a la calle disfrazados de caras, buscando los lugares más llenos de conocidos. Solemnes y del brazo, con las caras pintadas como las de los payasos, de todos los colores. Y ellos, serios, inmutables, distinguidos, sin arredrarse al paso de los transeúntes espantados.

Es la "abeja de fuego" que ante la madre amortajada no reprime una cólera de niña: "Pero mamá, está bien, quedamos en que no ibas a 'penarme'. Hagamos las pases. ¡No me mires así!"

Llega a mi casa. Se sienta entre mis niñas, que la alegran con sus conversaciones infantiles: "Venía por calle Arlegui y creí ver a mi madre. Yo no puedo llorar. Sólo podía llorar cuando era niña. Quizás los demás se asombren. La mamá era igual. Las lágrimas no salen. Se quedan allí adentro. Tal vez soy un mito. Fíjate que soy tan sola. Yo sé que soy un mito".

Y los mitos no lloran, es verdad. Y deben sentirse infinitamente solitarios.

Desconcertante María Luisa, con sus cambios de humor, sus entusiasmos repentinos o pueriles, sus trágicos amaneceres. Hija de los insomnios, despierta a las cuatro de la madrugada. Necesita encender todas las luces para espantar recuerdos. Su corazón se llena de fantasmas. Espera el sol, con ansias. La hemos visto torturada en este doble oficio de vivir; escritora y mujer. Fundidas ambas en una sola fuerza, tan enlazadas ambas como para sufrir castigo interno, sólo por existir. Como en María Griselda. Ni la belleza ni el genio dejan inmunes a sus elegidos.

¿Dónde está la fortuna que muchos suponen que ha ganado por sus derechos de autor?

No es el caso de un Neruda pleno, construyendo sus casas con el precio de sus ediciones. En María Luisa Bombal, el drama del escritor adquiere contornos increíbles.

A veces, confidente, desanda sus caminos. Se alegra o entristece. Surgen rostros festivos y lejanos. "¡Ay, todos están muertos! ¡Federico (García Lorca) era tan alegre!

¡Qué tiempos de juventud y de locura! Formábamos un grupo donde él era el más juguetón de todos. Año 1933, en Buenos Aires. Yo viajé desde Chile con Neruda y su esposa holandesa Maruca Haggenaar. Éramos muy amigas. Una mujer altísima y apacible. Vivíamos en un edificio de la calle Corrientes, que tenía una cocina preciosa, blanquísima, con una luz espléndida para escribir y una mesa muy cómoda. Con Pablo nos peleábamos la cocina para nuestros escritos. Con él fuimos amigos desde muy jóvenes, adolescentes, era amigo también de mis hermanas. Confiaba mucho en mí. *"Nunca te dejes corregir por nadie"*, me decía. Eran los tiempos en que yo escribía. *La última niebla,* que se publicó gracias a los desvelos de Oliverio Girondo y Norah Lange. El libro está dedicado a ellos. Se estrenaban en ese tiempo dos obras teatrales de Federico en Buenos Aires. *Bodas de sangre* y *Yerma.* Él es el hombre de mayor vitalidad y encanto que he conocido. Cantaba, tocaba el piano. Le gustaba interpretarnos en notas musicales y lo hacía genialmente, todos nos reconocíamos. Allí estaban Alfonsina Storni, Conrado Nalé, Roxlo, González Tuñón, Arturo Capdevila, Gonzalo Losada, y por supuesto, Pablo. Casi no recuerdo todos los nombres. Victoria Ocampo, que dirigía la revista *Sur;* Gómez de la Serna, en fin, Luigi Pirandello, que también estrenaba una obra de teatro. Ah, y mi amigo de siempre, Jorge Luis Borges. Y mis amigas escritoras, de hoy, que no puedo olvidar, Gloria Alcorta, Josefina Cruz, Victoria Pueyrredón. El escritor Gudiño Kieffer..."

Se abstrae un poco. Vuelve a recordar: "Tengo un dibujo de Federico. Él nunca pagaba las cuentas del café. Una vez Pablo le dijo: 'Ahora tienes que pagar tú. María Luisa te acompañará a buscar la plata'. Él la guardaba arriba del ropero, detrás de unas cajas y adentro de un sombrero, y tenía que arrimar una silla y subirse a rebuscar. Era encantador, pero amarrete. '¿Y no se puede pagar con un dibujo?' Me lo regaló a mí. Aún lo conservo".

¡Y conserva cuántos recuerdos, cartas y manuscritos que nadie conoce!

"He ordenado que todo debe quemarse después de mi muerte..." La muerte de su segundo marido (hace siete años) la afectó profundamente. También enviudó del primero, el pintor Jorge Larco, argentino, con el que estuvo casada mucho menos tiempo y no tuvo hijos.

A una periodista argentina, Celia Zaragoza, le dijo en una entrevista publicada en Buenos Aires: "Me duele mucho la pérdida de mi marido. Tal vez me ha llegado el momento de admitir como Brígida, la protagonista de mi cuento *El árbol,* que la verdadera felicidad está en la convicción de que se ha perdido irremediablemente la felicidad. Entonces empezamos a movernos por la vida sin esperanzas ni miedos; capaces de disfrutar por fin de todos los pequeños goces, que son los más perdurables".

EL MAR EN MARÍA LUISA

Lo vemos fugazmente en uno de sus cuentos, *Lo secreto,* pero en general, el mar se evade de los escenarios silvestres de los relatos de María Luisa. Es más hija del árbol que de la ola y ella lo explica con sencillez, en la casa familiar de 2 Poniente, vecina del estero Marga Marga. "Me gusta más el estero que el mar. Lo siento más cercano a mí, con sus sauces, con su sensación de tierra adentro. No es que no sienta el mar, pero el mar de Viña es solitario como un desierto azul marino. No es el mar de los puertos. ¿Será porque ya no están las playas de mi infancia, la de Miramar, con sus rocas que el mar se llevó? No sé, pero a veces me acerco al mar, trato de escucharlo, de hacerme amiga de él..."

En sus recuerdos de infancia, publicados recientemente por Ediciones Nueva Universidad, de la Vicerrectoría de Comunicaciones de la Universidad Católica de Santiago, en una selección de varios escritores chilenos, bajo el título *El niño que fue,* ella se acuerda del mar y no solamente lo escucha, sino todos sus recuerdos ligados a Viña giran en torno al carrusel marino, haciendo confluir sobre esta orilla de playa, visiones de una ciudad anterior, con sus bellezas femeninas oficiales, sus vendedores de helados y niñeras y el encanto que es la arena y los juegos de socavones y castillos de un momento, para todos los niños de la tierra.

"Porque de noche, sí, nuestro mar es otro mar. Y entonces, voz y ánimo cambiado, recuerdo y cuento ahora de cómo desde mi casa, allá en el fondo de la calle Montaña, la noche entera percibíamos nítidamente el nacer, alzarse y desplomarse de cada ola y hasta el suspiro de la espuma, que ésta desparrama por las arenas. Un breve silencio hecho de luna y de nuevo el murmullo del nacer, alzarse y desplomarse de la próxima ola, y de la siguiente, y de la otra. El mar en verano, el corazón mismo de Viña del Mar. Un corazón cuyos latidos podíamos contar. Luego, más tarde, en medio de la noche, el pitido del expreso de Santiago a Valparaíso, rayo luminoso cortando por entre pueblos y jardines el temblar de las grandes casas dormidas a ambos lados de la línea..."

Su cuento *El árbol,* estudiado en Chile y Costa Rica, es una de sus composiciones más queridas. Al preguntar acerca de su dedicatoria a la escultora Nina Anguita, nos explica cómo a veces las realidades preceden nuestros sueños. Hospedada en casa de Nina, artista en cuya casa conocí a María Luisa una mañana de hace ya varios años, estando presente Hernán Díaz Arrieta, relata que allí había un gomero gigantesco, igual al de su cuento, que daba verde sombra y dulce intimidad al cuarto que habitaba.

"A Nina Anguita, gran artista, mágica amiga que supo dar vida y realidad a mi árbol imaginado, dedico el cuento que, sin saber, escribí para ella mucho antes de conocerla."

A su vez, Nina Anguita de Rodríguez, ya nos había

contado, de igual modo, la historia del gomero que crecía en su jardín y acerca del cual, en una discreta habitación, María Luisa residiera un tiempo, dedicada a escribir al amparo del árbol que, tal como en su cuento, alargaba hacia ella sus ramajes, su amistad de madera rumorosa.

"¡Cómo parloteaba ese inmenso gomero! Todos los pájaros del barrio venían a refugiarse en él", escribió, en su célebre cuento. "Algunos niños solían jugar al escondite entre las enormes raíces convulsas que levantaban las baldosas de la acera, y el árbol se llenaba de risas y cuchicheos. Entonces ella se asomaba a la ventana y golpeaba las manos; los niños se dispersaban asustados, sin reparar en su sonrisa de niña que a su vez desea participar en el juego".

No se sabe si habla del árbol de Nina o del suyo, "pegado a la ventana del cuarto de vestir, el árbol que desenvolvía sombras como de agua agitada y fría por las paredes, los espejos que doblaban el follaje y se ahuecaban en un bosque infinito y verde". Árbol y mujer se entrelazan, en una complicidad silenciosa, esa complicidad que la hace sentirse desamparada y desnuda el día que derriban el gomero y con él, ese mundo de ensueño que la fuerza del árbol proyectaba en la soledad de la protagonista.

La escritora María Urzúa ha citado un ajustado pensamiento de Maeterlinck en relación con la prosa diáfana de María Luisa Bombal: "Todo comienza y nada termina en el umbral de las apariencias. Es entonces cuando se aprende a ver lo que no se ve en la vida sin embriaguez". Agrega que "María Luisa Bombal aborda la parte espiritual de los aconteceres, que es la parte luminosa e inmortal. Los otros, los que no tienen el privilegio de soñar porque han perdido la fuerza para vivir, giran sólo en torno a la vida exterior. Entonces todo permanece entorpecido y penoso ante sus ojos y nuestros semejantes aparecen distantes y lejanos. Los protagonistas de María Luisa Bombal viven en climas afines, aunque varíen los elementos cincundantes. *La amortajada* en el más allá, la heroína de *La última niebla* en el sueño y en la niebla, atmósfera nebulosa en que vaga su sueño. Las dos rozan poéticamente esa zona misteriosa de la posvida, en la que solamente un poeta puede internarse, disminuyendo su terror, haciendo apacible lo desconocido, la muerte".

Habiendo vivido María Luisa una vida intensa, cuyas Memorias serían inestimables, ella no concede importancia a su propia vida, como si para su alma la ensoñación fuese la realidad más bella. De ahí su afinidad con los poetas. Toda su obra es una permanente poesía. Cuando la conocí, me agradó que no tuviera "esa pesada consistencia literaria que vuelve insoportables a algunas escritoras". Lo dije en *La Nación* de Santiago. "Sin duda ese tacto para no imponer sobre los demás el peso de la propia cultura (domina varios idiomas, incluyendo el latín) y no hacer prevalecer los conocimientos adquiridos en una vida intensa de viajes, estudios y personal contacto con grandes personalidades del mundo literario universal, es propio de los espíritus finos que, por consecuencia, parecen exhibir una cierta timidez o refugiarse en un ligero humor con el que se reconcilian con el mundo".

Y en nuestro medio necesario es refugiarse contra tantas cosas.

María Luisa escribe siempre. Pero no le gusta referirse a sus libros. Escribe... y rompe. En Estados Unidos escribió en inglés *El canciller,* o *The Foreign Minister*. Una obra de teatro que ella estima inactual. Sin embargo Carmen Merino tiene absoluta fe en la validez de esta obra.

"Es un tema magnífico, que ella puede explotar con pocas correcciones". La periodista, que residió un tiempo en Estados Unidos en la misma época en que María Luisa vivía en Nueva York y que la entrevistó en cada uno de sus viajes a Chile (*Zig-Zag*, 29 de julio de 1970, "Éxito en 10 idiomas") conoce en profundidad la obra de la autora. "La última vez que estuvo en Chile, en 1970, antes de resolver su radicación definitiva en su patria, María Luisa Bombal trabajó, traduciendo del inglés, su obra *House of Mist*, que fue en Estados Unidos un best-séller. Allí se entusiasmaron con el argumento de *La última niebla* y se le pidió una versión en inglés para llevarla al cine. Ya tenía práctica en guiones de filmes, pues en Buenos Aires escribió "La casa del recuerdo", interpretada por Libertad Lamarque, que se mantuvo en cartelera por largos años. Tuvo la virtud de revolucionar el concepto del cine argentino, que no salía de la atmósfera del tango. En Chile, María Luisa Bombal, bajo el título *Embrujo,* volvió a escribir esta novela, basándola en el suspenso, un suspenso policial, que no es, por tanto, *La última niebla*, sino algo así como el reverso de la medalla. Sin embargo, nadie sabe el destino que ella dio a este trabajo, del cual, al parecer, quedó insatisfecha".

Finalmente diremos que María Griselda, que da nombre a este libro, nos ha ayudado, sin saberlo, a cumplir la tarea.

Quisimos atrapar, de alguna forma, alguno de esos grillos "que huían cargando una gota de rocío", en el marco de esta Griselda vegetal.

Los grillos no se equivocan y María Luisa los tiene a todos de su parte.

De ella se ha escrito mucho. Ha conocido el triunfo. También el desencanto.

Del "ángel" de su obra quisimos atrapar el borde ligerísimo de un ala, mostrarles algo antiguo y algo súbito.

Lo único que hasta ahora no se ha escrito es lo que esperamos se diga alguna vez:

Obtuvo el Premio Nacional de Literatura de Chile.

SARA VIAL
Viña del Mar, agosto de 1976.

LA HISTORIA DE MARÍA GRISELDA

Recuerda que nadie había venido a su encuentro y que ella misma hubo de abrir la tranquera, mientras reteniendo los caballos, el cochero le insinuaba a modo de consolación:

—Puede que del pueblo no hayan telefoneado que usted llegaba, tal como lo dejó recomendado.

Por toda respuesta, ella había suspirado muy hondo, extenuada de pensar en cuánto debiera sobrellevar para llegar hasta ese fundo perdido en la selva.

El tren. El alba en una triste estación. Y otro tren. Y otra estación. Y el pueblo, al fin. Pero, en seguida, toda la mañana y la mitad de la tarde en aquel horrible coche alquilado...

Un relámpago había desgarrado el cielo y tiritado lívido durante el espacio de un segundo. Luego fue un golpe sordo. Un trueno. Y otra vez el silencio espesándose.

Ella había mirado entonces a su alrededor y notado de pronto que era casi invierno.

Un trueno. Un solo trueno. ¡Como un golpe de gong, como una señal! Desde lo alto de la cordillera, el equinoccio anunciaba que había empezado a hostigar los vientos dormidos, a apurar las aguas, a preparar las nevadas. Y ella recuerda que el eco de ese breve trueno repercutió largamente dentro de su ser, penetrándola de frío y de una angustia extraña, como si le hubiera anunciado asimismo el comienzo de algo maléfico para su vida...

En el último peldaño de la escalinata, un sapo levantaba hacia ella su cabecita trémula.

—Está enamorado de María Griselda. Todas las tardes sale aquí a esperarla para verla cuando vuelve de su paseo a caballo —le explicó su hijo Fred, apartándolo delicadamente con el pie al pasar.

—¿Y Alberto? —había preguntado ella una vez dentro de la casa, mientras comprobaba con la mirada el desorden y el abandono de las salas: una cortina desprendida, flores secas en los floreros, una chimenea muerta y repleta de periódicos chamuscados.

—Está en el pueblo. Ha de volver esta misma tarde, creo.

—¡Es una lástima que ahí que lo saben y repiten todo en medio segundo, no le contasen de mi llegada! Pude haberme venido con él.

—Fue mejor que no se viniera con él, mamá.

Una serie de veladas alusiones temblaba en la voz de Fred, quien desde que saliera a abrirle la puerta de la casa esquivaba con obstinación mirarla de frente.

—Prende la chimenea, Fred. Tengo frío. ¡Cómo! ¿Qué no hay leña a mano? ¿Qué hace la mujer de Alberto? ¿Considera acaso perjudicial para la belleza ser una dueña de casa?

—Oh, no, no es culpa de María Griselda este desorden. Es que somos tantos y... ¡Mamá! —gimió de pronto, de la misma manera que cuando de niño corría hacia ella porque se había hecho daño o porque tenía miedo. Pero esta vez no se le abrazó al cuello como lo hacía entonces. Por el contrario. Reprimiendo bruscamente su impulso, huyó al otro extremo del hall, para dejarse caer como avergonzado en un sillón.

Ella se le había acercado y poniéndole ambas manos sobre los hombros:

—¿Qué hay, Fred? —le había preguntado dulcemente—. ¿Qué les pasa a todos ustedes? ¿Por qué se quedan en esta casa que no es la de ustedes?

—Oh, mamá, es Silvia la que quiere quedarse. ¡Yo quiero irme! Acuérdese, mamá, acuérdese que fue también Silvia la que se obstinó en venir...

Sí. Ella recordaba el proyecto que le confiara a ella la novia de Fred pocos días antes del matrimonio, ¡aquel absurdo matrimonio de Fred, a quien sin haberse tan siquiera recibido de abogado se le ocurriera casarse con la debutante más tonta y más linda del año!

—Le he dicho a Fred que quiero que vayamos a pasar la luna de miel al fundo del sur.

—¡Silvia!

—¡Por Dios, señora! No se enoje. Ya sé que usted y toda la familia nunca han querido ver ni conocer a la mujer de Alberto..., pero yo me muero de ganas de conocerla. ¡María Griselda! Dicen que es la mujer más linda que se haya visto jamás. Yo quiero que Fred la vea y diga: "¡Mentira, mentira, Silvia es la más linda!".

Sí, ella recordaba todo esto, en tanto Fred seguía hablándole acaloradamente.

—...¡Oh, mamá, es una suerte que usted haya venido! Tal vez logre usted convencer a Silvia que es necesario que nos vayamos. Figúrese que se le ha ocurrido que estoy enamorado de María Griselda, que la encuentro más linda que ella... Y se empecina en quedarse para que yo reflexione, para que la compare con ella, para que elija... y qué sé yo. Está completamente loca. Y yo quiero irme. Necesito irme. Mis estudios...

Su voz, su temblor de animal acechado que quiere huir, presintiendo un peligro inminente.

Sí, ella como mujer comprendía ahora a Silvia. Comprendía su deseo de medirse con María Griselda y de arriesgarse a perderlo todo con tal de ser la primera y la única en todo ante los ojos de su marido.

—Fred, Silvia no se irá jamás si se lo pides de esa manera, como si tuvieras miedo...

—¡Miedo!... ¡Sí, mamá, eso es! Tengo miedo. ¡Pero si usted la viera! ¡Si la hubiese visto esta mañana! ¡Estaba de blanco y llevaba una dalia amarilla en el escote!

—¿Quién?

Fred había echado bruscamente los brazos alrededor de la cintura de su madre, apoyado la frente contra la frágil cadera y cerrado los ojos.

—María Griselda —suspiró al fin—. ¡Oh, mamá! ¿La ves? ¿La ves con su tez pálida y sus negros cabellos, con su cabecita de cisne y su porte mejestuoso y melancólico, la ves vestida de blanco y con una dalia amarilla en el escote?

Y he ahí que, cómplice ya de su hijo, ella veía claramente vivir y moverse en su mente a la delicada y altiva criatura del retrato que le mandara Alberto.

—¡Oh, mamá, todos los días una imagen nueva, todos los días una nueva admiración por ella que combatir!... No, yo no puedo quedarme aquí ni un día más..., porque no puedo dejar de admirar a María Griselda cada día más..., de admirarla más que a Silvia, sí. ¡Y Silvia que no quiere irse! Háblele usted, mamá, trate de convencerla, por favor...

El tic tac de un reloj repercutía por doquier como el corazón mismo de la casa. Y ella aguzaba el oído, tratando de ubicar el sitio exacto en donde estaría colocado ese reloj. "Es nuevo, ¿de dónde lo habrán sacado", se preguntaba, involuntariamente distraída por aquella nimiedad mientras erraba por corredores y escaleras solitarias.

El cuarto de Zoila estaba vacío. Y era Zoila, sin embargo, la que la había inducido a franquear el umbral de esa casa repudiada.

¿No se había negado ella hasta entonces a reconocer la existencia de María Griselda, aquella muchacha desconocida con la que su hijo mayor se casara un día a escondidas de sus padres y de todos?

Pero la carta que le mandara Zoila, su vieja nodriza, habíala hecho pasar por sobre todas sus reservas.

"Señora, véngase inmediatamente para acá...", escribía Zoila. Desde que ella se casara, Zoila la llamó señora, pero, olvidando de pronto guardar las distancias, solía volver a tutearla como a una niña.

"...No te creas que exagero si te digo que aquí están pasando cosas muy raras. Tu hija Anita se sale siempre con la de ella; sin embargo, parece que esta vez no va a ser así y que hizo un buen disparate viniéndose a buscar a don Rodolfo. Si él le dejó de escribir, ¡por algo sería! Y mi opinión es que ella debió haber tenido el orgullo de olvidarlo. Así se lo dije el propio día que se le ocurrió venirse para acá. Pero a mí, ella no me hace caso... Y usted me obligó a acompañarla a estas serranías.

"Bueno, la verdad es que por muy de novio que esté con la Anita desde que eran niños, don Rodolfo ya no la quiere, porque está enamorado de la señora Griselda.

"No sé si te acuerdas de que cuando me contaste que para ayudar a don Rodolfo —ya que el pobre no sirve para nada—, don Alberto lo había empleado en el fundo, yo te dije que me parecía que tu Alberto había hecho un buen disparate... pero a mí nadie me hace caso..."

Ella no se explicó nunca en vida, cómo ni por qué había encaminado sus pasos hacia el cuarto de Rodolfo y empujado la puerta... Ahora sabe que en momentos como aquellos es nuestro destino el que nos arrastra implacable y contra toda lógica hacia la tristeza que nos tiene deparada.

Sola, echada sobre el lecho de Rodolfo y con la frente hundida en las almohadas, así había encontrado a su hija Anita.

Había tardado en llamarla.

¡Oh, esa timidez que la embargaba siempre delante de Anita! Porque Fred se defendía, pero terminaba siempre por entregársele. Y saliendo de su mutismo, el taciturno Alberto solía tener con ella arranques de confianza y de brusca ternura.

Pero Anita, la soberbia Anita, no se dignó jamás dejarla penetrar en su intimidad. Desde que era muy niña solía llamarla Ana María, gozándose en que ella le respondiera sin reparar en la falta de respeto que significaba de parte de una hija adolescente el interpelar a la madre por el nombre.

Y más tarde, con qué piadosa altanería la miró siempre desde lo alto de sus estudios.

"Tiene un cerebro privilegiado esta muchacha", era la frase con que todos habían acunado a Anita desde que ésta tuviese uso de razón. Y ella se había sentido siempre orgullosa de aquella hija extraordinaria, delante de la cual vivió, sin embargo, eternamente intimidada...

—¡Anita!

Cuando la llamó por fin, ésta levantó hacia ella una cara entre asombrada y gozosa, e iniciaba ya un gesto de cariñosa bienvenida, cuando animada por aquella inesperada recepción, ella le había declarado rápida y estúpidamente:

—Anita, vengo a buscarte. Nos vamos mañana mismo.

Y Anita entonces había reprimido su impulso y había vuelto a ser Anita.

—Usted se olvida que pasé la edad en que la traen y llevan a una como una cosa.

Desconcertada ya a la primera respuesta y presintiendo una lucha demasiado dura para su sensibilidad, ella había empezado en seguida a suplicar, a tratar de persuadir...

—Anita, por ese muchacho tan insignificante, rebajarte y afligirte tú... ¡Tú, que tienes la vida por delante, tú, que puedes elegir el marido que se te antoje, tan orgullosa, tú, tan inteligente!

—No quiero ser inteligente, no quiero ser orgullosa y no quiero más marido que Rodolfo, y lo quiero así tal como es, insignificante y todo...

—¡Pero si él ya no te quiere!

—¡Y a mí qué me importa! Yo lo quiero, y eso me basta.

—¡Anita, Anita, regalona!... ¿Crees tú que es tu voluntad la que cuenta en este caso? No, Anita, créeme. Una mujer no consigue nunca nada de un hombre que la ha dejado de querer. Vente conmigo, Anita. No te expongas a cosas peores.

—¿A qué cosas?

—Ya que tú no le devuelves su palabra, Rodolfo es capaz de pedírtela un día de éstos.

—No, ya no puede.

—¿Y por qué no? —había preguntado ella ingenuamente.

—Porque ya no puede, si es que es un hombre y un caballero.

—¡Anita! —Ella había mirado a su hija mientras una oleada de sangre le abrasaba la cara— ¿Qué pretendes decirme?

—¡Eso! Eso mismo que acaba de pensar.

—¡No! —había gritado. Y la otra mujer que había en ella, tratándose de sus hijos, se había rebelado con inmensa cólera.

—... ¡Ah, el infame! ¡El infame!... ¡Se ha atrevido!... Tu padre, sí, tu padre va a matarlo... y yo, yo... ¡Ah, ese cobarde!

—Cálmese, mamá, Rodolfo no tiene la culpa. Él no quería. Fui yo la que quise. No, él no quería, no quería.

La voz se había quebrado en un sollozo y hundiendo nuevamente la cara en la almohada de Rodolfo, la orgullosa Anita se había echado a llorar como un niño.

—¡No quería! Yo lo busqué y lo busqué hasta que... Era la única manera de que no me dejara... la única manera de obligarle a casarse. Porque ahora... ahora usted tiene que ayudarme... tiene que decirle que lo sabe todo... obligarlo a casarse mañana mismo... porque él pretende esperar... y yo tengo miedo, no quiero esperar... porque yo lo adoro, lo adoro.

Anita lloraba. Y ella, ella se había tapado la cara con las manos, pero no lograba llorar.

¿Cuánto rato estuvo así, muda, yerta, anonadada? No recuerda. Sólo recuerda que como se escurriera al fin del cuarto, sin mirar a Anita, aquel reloj invisible empezó a sonar de nuevo su estruendoso tic tac... como si emergiera de golpe junto con ella de las aguas heladas de un doloroso período de estupor.

Bajando el primer piso, había abierto impulsivamente la puerta del que fuera el cuarto de Alberto. Y como considerara sorprendida aquel cuarto ahora totalmente transformado por una mano delicada y graciosa, oyó unos pasos en el corredor.

—¡Es "ella" —se dijo, conmovida bruscamente.

Pero no. No era María Griselda. Era Zoila.

—¡Por Dios, señora, recién me avisan que ha llegado! ¡Yo andaba por la lavandería...! ¡Y nadie para recibirla!

—¡Qué pálida estás! ¿Qué, no te sientes bien?

—Estoy cansada. ¿Y eso, qué es?... ¿Esas caras pegadas a los vidrios?

—Ya se apartaron... ¿Quiénes tratan de mirar para adentro?

—Son los niños del campero que vienen siempre a dejarle flores a la señora Griselda, ahí al pie de la ventana. ¡La hallan tan bonita! Dicen que es más bonita que la propia Santísima Virgen...

—¿En dónde está Alberto? —había interrumpido ella secamente.

Zoila desvió la mirada.

—En el pueblo, supongo... —contestó después de una breve pausa, y en su voz temblaba la misma reticencia que a ella le inquietara en la voz de Fred.

—Pero, ¿qué pasa?, ¿qué pasa? —gritó, presa de pronto de una ira desproporcionada—. Desde cuándo se habla por enigmas en esta casa. ¿Dónde está Alberto? Contéstame claro, ¡te lo mando!

Una cortesía exagerada y mordaz solía ser la reacción de Zoila ante las inconsecuencias o las violencias de los patrones.

—¿La señora me ordena decirle en dónde está Alberto? —le había preguntado suavemente.

—Sí, claro.

—Pues... "tomando" por alguna parte ha de estar. Y por si quiere saber más, le diré que don Alberto se lo pasa ahora tomando... ¡él, que ni siquiera probaba vino en las comidas!

—Ah, ¡esa mujer! ¡Maldita sea esa mujer! —había estallado impetuosamente.

—Siempre atolondrada para juzgar, usted, señora. Nada se puede decir en contra de doña Griselda. ¡Es muy buena y se lleva todo el día encerrada aquí en el cuarto, cuando no sale a pasear sola, la pobrecita! Yo la he encontrado muchas veces llorando... porque don Alberto parece que la odiara a fuerza de tanto quererla. ¡Dios mío! ¡Si yo voy creyendo que ser tan bonita es una desgracia como cualquier otra!

Cuando ella entró al cuarto, luego de haber golpeado varias veces sin haber obtenido respuesta, Silvia se hallaba sentada frente al espejo, envuelta en un largo batón de gasa.

—¿Cómo estás, Silvia?

Pero la muchacha, a quien no pareció sorprenderle su intempestiva llegada, apenas si la saludó, tan abstraída se encontraba en la contemplación de su propia imagen.

—¡Qué linda estás, Silvia! —le había dicho ella entonces, tanto por costumbre como para romper aquella desconcertante situación... Silvia, mirándose al espejo atentamente, obstinadamente, como si no se hubiera visto nunca, y ella de pie, contemplando a Silvia.

—¡Linda! ¿Yo? ¡No, no!... Yo creía serlo hasta que conocí a María Griselda. ¡María Griselda sí que es linda!

Su voz se trizó de improviso y como una enferma que recae extenuada sobre las almohadas de su lecho, Silvia volvió a sumirse en el agua de su espejo.

Los cristales de la ventana, apegados a la tarde gris, doblaban las múltiples lámparas encendidas sobre el peinador. En el árbol más cercano, un chuncho desgarraba, incesante, su pequeño grito misterioso y suave.

—Silvia, Fred acaba de decirme lo mucho que te quiere... —había empezado ella. Pero la muchacha dejó escapar una risa amarga.

—Sin embargo, ¿qué cree usted que me contesta cuando le pregunto quién es más linda, si María Griselda o yo?

—Te dirá que tú eres la más linda, naturalmente.

—No, me contesta: "¡Son tan distintas!"

—Lo que quiere decir que te halla más linda a ti.

—No. Lo que quiere decir es que halla más linda a María Griselda y no se atreve a decírmelo.

—Y aunque así fuera, ¿qué te puede importar? ¿No eres acaso tú la mujer que él quiere?

—Sí, sí, pero no sé... No sé lo que me pasa... Oh, señora, ayúdeme. No sé qué hacer. ¡Me siento tan desgraciada!

Y he aquí que la muchacha había empezado a explicarle su mísero tormento:

"Por qué esa sensación de inferioridad en que la sumía siempre la presencia de María Griselda.

"Era raro. Ambas tenían la misma edad y, sin embargo, María Griselda la intimidaba.

"Y no era que ésta fuera orgullosa; no, por el contrario, era dulce y atenta y muy a menudo venía a golpear la puerta de su cuarto para conversar con ella.

"¿Por qué la intimidaba? Por sus gestos, tal vez. Por sus gestos tan armoniosos y seguros. Ninguno caía desordenado como los de ella, ninguno quedaba en suspenso... No, no le tenía envidia. ¿Fred no le decía acaso a ella: 'Eres más rubia que los trigos; tienes la piel dorada y suave como la de un durazno maduro; eres chiquita y graciosa como una ardilla'; y tantas otras cosas?

"Sin embargo, ¿por qué ella deseaba comprender por qué razón cuando veía a María Griselda, cuando se topaba con sus ojos estrechos, de un verde turbio, no le gustaban ya sus propios ojos azules, límpidos y abiertos como estrellas? ¿Y por qué le parecía vano haberse arreglado horas frente al espejo, y encontraba ridícula esa sonrisa suya tan alabada con la que se complacía en mostrar sus maravillosos dientes, pequeñitos y blancos?"

Y mientras Silvia hablaba y hablaba, y ella repetía y repetía el mismo argumento: "Fred te quiere, Fred te quiere..." en el árbol más cercano, el chuncho seguía desgarrando su breve grito insidioso y regular.

Ella recuerda cómo al dejar a Silvia sintió de pronto esa ansia irresistible de salir al aire libre y caminar, que se apodera del cuerpo en los momentos en que el alma se ahoga.

Y fue así que como ganara la tranquera, se encontró a Rodolfo reclinado a uno de sus postes, fumando y en actitud de espera.

¡Rodolfo! Ella lo había visto nacer, crecer; frívolo, buen muchacho y a ratos más afectuoso con ella que sus propios hijos. Y hela ahora aquí aceptando el beso con que él se apresuraba a saludarla, sorprendida de no sentir, al verlo, nada de lo que creía que iba a sentir. Ni cólera, ni despecho. Sólo la misma avergonzada congoja que la embargara delante de Anita.

—¿Esperabas a Alberto? —preguntó al fin, por decir algo.

—No, a María Griselda. Hace ya una hora que debiera haber vuelto. No me explico por qué ha alargado tanto su paseo esta tarde... Venga, vamos a buscarla —la invitó de pronto, tomándola imperiosamente de la mano. Y fue así como cual cazadores de una huidiza gacela, habían empezado a seguir por el bosque las huellas de María Griselda. Internándose por un estrecho sendero que su caballo abriera entre las zarzas, habían llegado hasta el propio borde de la pendiente que descendía al río. Y apartando las ramas espinosas de algunos árboles, se habían inclinado un segundo sobre la grieta abierta a sus pies.

Un ejército de árboles bajaba denso, ordenado, implacable, por la pendiente de helechos, hasta hundir sus primeras filas en la neblina encajonada allá abajo, entre los murallones del cañón. Y del fondo de aquella siniestra rendija subía un olor fuerte y mojado, un olor a bestia forestal: el olor del río Malleco rodando incansable su lomo tumultuoso.

Habían echado en seguida a andar cuesta abajo. Ramas pesadas de avellanas y de helados copihues les golpeaban la frente al pasar... y Rodolfo le contaba que, con la fusta que llevaba siempre en la mano, María Griselda se entretenía a menudo en atormentar el tronco de ciertos árboles, para descubrir los bichos agazapados bajo sus cortezas, grillos que huían cargando una gota de rocío, tímidas falenas de color tierra, dos ranitas acopladas.

Y bajaron la empinada cuesta hasta internarse en la neblina, que se estancaba en lo más hondo de la grieta, allí en donde ya no había pájaros, en donde la luz se espesaba, lívida, en donde el fragor del agua rugía como un trueno sostenido y permanente. ¡Un paso más y se habían hallado al fondo del cañón y en frente mismo del monstruo!

La vegetación se detenía al borde de una estrecha playa de guijarros opacos y duros como el carbón de piedra. Mal resignado en su lecho, el río corría a borbotones, estrellando enfurecido un agua agujereada de remolinos y de burbujas negras.

¡El Malleco! Rodolfo le explicó que María Griselda no le tenía miedo, y le mostró, erguido allí, en medio de la corriente, el peñón sobre el que acostumbraba tenderse largo a largo, soltando a las aguas sus largas trenzas y los pesados pliegues de su amazona. Y le contó cómo, al incorporarse, ella solía hurgar, hurgaba riendo su cabellera chorreante para extraer de entre ésta, cual una horquilla olvidada, algún pececito plateado, regalo vivo que le ofrendara el Malleco.

Porque el Malleco estaba enamorado de María Griselda.

¡María Griselda!... la habían llamado hasta que la penumbra del crepúsculo empezara a rellenar el fondo del cañón y desesperanzados se decidieran a trepar de vuelta la cuesta por donde el silencio de la selva les salía nuevamente al encuentro, a medida que iban dejando atrás el fragor incansable del Malleco.

La primera luciérnaga flotó delante de ellos.

—¡La primera luciérnaga! A María Griselda se le posa siempre sobre el hombro, como para guiarla —le había explicado Rodolfo súbitamente enternecido.

Una zorra lanzaba a ratos su eructo macabro y estridente. Y de la quebrada opuesta le contestaba otra en seguida, con la precisión del eco.

Los copihues empezaban a abrir sigilosos sus pesados pétalos de cera y las madreselvas se desplomaban, sudorosas, a lo largo del sendero. La naturaleza entera parecía suspirar y rendirse extenuada...

Y mientras ellos volvieron por un camino diferente del que vinieron, siguiendo siempre afanosos la huella de María Griselda, ella había logrado vencer al fin la timidez y el cansancio que la embargaba.

—Rodolfo, he venido a saber lo que pasa entre Anita y tú. ¿Es cierto que ya no la quieres?

Ella había interrogado con cautela, aprontándose a una negativa o a una evasiva. Pero él, ¡con qué impudor, con qué vehemencia habíase acusado de inmediato!

Sí, era cierto que ya no quería a Anita.

Y era cierto lo que decían: que estaba enamorado de María Griselda.

Pero él no se avergonzaba de ello, no. Griselda, ni nadie. Sólo Dios, por haber creado a un ser tan prodigiosamente bello, era el de la culpa.

"Y tan era así, que él no tenía culpa, que el propio Alberto, sabiendo de su amor, en lugar de condenarlo, lo compadecía. Y le permitía seguir trabajando en el fundo, porque comprendía, sabía que una vez que se había conocido a María Griselda, era necesario poder verla todos los días para lograr seguir viviendo.

"¡Verla, verla!... Y, sin embargo, él evitaba siempre mirarla de repente, miedoso, temeroso de que el corazón pudiera detenérsele bruscamente. Como quien va entrando con prudencia en un agua glacial, así iba él enfrentando, de a poco, la mirada de sus ojos verdes, el espectáculo de su luminosa palidez.

"Y no, nunca se cansaría de verla, nunca su deseo por ella se agotaría, porque nunca la belleza de aquella mujer podría llegar a serle totalmente familiar. Porque María Griselda cambiaba imperceptiblemente, según la hora, la luz y el humor, y se renovaba como el follaje de los árboles, como la faz del cielo, como todo lo vivo y natural.

"Anita era linda, ella también y él la quería de verdad, pero..."

Ella recuerda que el nombre de su hija, entremezclado de golpe a semejante confesión, vino a herirla de una manera inesperada.

—No hablemos ahora de Anita —había interrumpido violentamente; luego—: Apuremos el paso, que se hace tarde.

Y Rodolfo había respetado su silencio, mientras guiándola en la oscuridad del bosque la ayudaba a salvar las enormes raíces convulsas que se encrespaban casi a un metro del suelo.

Sólo cuando más adelante un revuelo de palomas vino a azotarles la frente.

—Son las palomas de María Griselda —no se había podido impedir de explicarle aún con devoción.

¡María Griselda! ¡María Griselda! Ella recuerda que en medio de la escalinata, su pie había tropezado con algo blando, con aquel sapo esperando él también eternamente a María Griselda...

Y recuerda cómo una oleada de ira la había doblado, para cogerlo brutalmente entre sus dedos crispados y arrojarlo lejos, lejos. Luego echó a correr hacia su cuarto con el puño cerrado y la horrorosa sensación de haber estrujado en la mano una entraña palpitante y fría.

¿Cuánto tiempo durmió extenuada?

No sabe. Sólo sabe que...

Ruido. Cerrojos descorridos por una mano insegura. Y sobre todo, una voz ronca, desconocida y, sin embargo, muy parecida a la voz de Alberto, vinieron a desgarrar su entresueño.

Zoila no había mentido, no. Ni tampoco Fred la había alertado en vano. Porque aquello era su hijo Alberto, que llegaba ebrio y hablando solo. Ella recuerda cómo aguzando el oído había sostenido un instante en pensamiento unos pasos rotos a lo largo del corredor.

Luego... sí, debió haber dormitado nuevamente, hasta que el estampido de aquel balazo en el jardín, junto con un inmenso revuelo de alas asustadas, la impulsara a saltar de la cama y a correr fuera del cuarto.

La puerta del corredor, abierta de par en par, hacia una noche palpitante de relámpagos y tardías luciérnagas. Y en el jardín, un hombre persiguiendo, revólver en mano, a las palomas de María Griselda.

Ella lo había visto derribar una, y otra, y precipitarse sobre sus cuerpos mullidos, no consiguiendo aprisionar entre sus palmas ávidas sino cuerpos a los cuales se apegaban unas pocas plumas mojadas de sangre.

—¡Alberto! —había llamado ella.

—¡Hay algo que huye siempre en todo! —había gemido entonces aquel hombre, cayendo entre sus brazos—. ...¡Como en María Griselda! —gritó casi en seguida, desprendiéndose—. De qué le sirve decirme: ¡Soy tuya, soy tuya! ¡Si apenas se mueve, la siento lejana! ¡Apenas se viste, me parece que no la he poseído jamás!

Y Alberto había empezado a explicarle la angustia que lo corroía y destruía, así como a todos los habitantes de aquella sombría mansión.

Sí, era en vano que para tranquilizarse, él rememorara y contara por cuántos y cuán íntimos abrazos Griselda estaba ligada a él. ¡En vano! Porque apenas se apartaba del suyo, el cuerpo de María Griselda parecía desprendido y ajeno desde siempre y para siempre, de la vida física de él. Y en vano, entonces, él se echaba nuevamente sobre ella, tratando de imprimirle su calor y su olor... De su abrazo desesperado, María Griselda volvía a resurgir, distante y como intocada.

—Alberto, Alberto, hijo mío... —Ella trataba de hacerlo callar recordándole que era su madre.

Pero él seguía hablando y paseándose desordenadamente por el corredor... sin atender a sus quejas, ni a la presencia de Fred, quien, habiendo también corrido en alarma a los tiros, lo consideraba con tristeza.

¿Celos? Tal vez pudiera ser que lo fuesen. ¡Extraños celos! Celos de ese "algo" de María Griselda, que se le escapaba siempre en cada abrazo. ¡Ah, esa angustia incomprensible que lo torturaba! ¿Cómo lograr, captar, conocer y agotar cada uno de los movimientos de esa mujer? ¡Si hubiera podido envolverla en una apretada red de paciencia y de memoria, tal vez hubiera logrado comprender y aprisionar la razón de la Belleza y de su propia angustia!

¡Pero no podía!

Porque no bien su furia amorosa comenzaba a enternecerse en la contemplación de las redondas rodillas ingenuamente aparejadas, la una detrás de la otra, cuando ya los brazos empezaban a desperezarse armoniosos, y aún no había él aprendido las mil ondulaciones que este ademán imprimió a la esbelta cintura, cuando... ¡No! ¡No!

De qué le servía poseerla, si...

No pudo seguir hablando. Silvia bajaba la escalera, despeinada, pálida y descalza, enredándose a cada escalón en su largo batón de gasa.

—Silvia, ¿qué te pasa? —había alcanzado a balbucir Fred cuando una voz horriblemente aguda había empezado a brotar de aquel frágil cuerpo.

—¡Todos, todos lo mismo! —gritaba la extraña voz— ¡Todos enamorados de María Griselda!... Alberto, Rodolfo, y Fred también... ¡Sí, tú también, tú también, Fred! ¡Hasta escribes versos para ella!... Alberto, ya lo sabes. Tu hermano tan querido escribe versos de amor para tu mujer. Los escribe a escondidas de mí. Cree que yo no sé dónde los guarda. Señora, yo se los puedo mostrar.

Ella no había contestado, miedosa de aquel ser desordenado y febril, que una palabra torpe podía precipitar en la locura.

—No, Silvia, no estoy enamorado de María Griselda —oyó de pronto decir a Fred con tranquila gravedad—. Pero es cierto que algo cambió en mí cuando la vi... Fue como si en lo más recóndito de mi ser se hubiera de pronto encendido una especie de presencia inefable, porque por María Griselda me encontré al fin con mi verdadera vocación, por ella.

Y Fred les había empezado a contar su encuentro con María Griselda...

"Cuando recién casados, Silvia y él habían caído de

55

sorpresa al fundo. María Griselda no se encontraba en la casa.

"Pero ansiosos de conocerla cuanto antes, ellos habían corrido en su busca, guiados por Alberto.

"Y así había sido cómo de pronto, en medio del bosque, él se había quedado atrás, callado, inmóvil, atisbando casi dentro de su corazón el eco de unos pasos muy leves.

"Desviándose luego del sendero, había entreabierto el follaje al azar, y... esbelta, melancólica y pueril, arrastrando la cola de su ropón de amazona... así la vio pasar.

"¡María Griselda!

"Llevaba enfáticamente una flor amarilla en la mano, como si fuera un cetro de oro, y su caballo la seguía a corta distancia, sin que ella precisara guiarlo. ¡Sus ojos estrechos, verdes como la fronda! ¡Su porte sereno, su mano pequeñita y pálida! ¡María Griselda! La vio pasar. Y a través de ella, de su pura belleza, tocó de pronto un más allá infinito y dulce... algas, aguas, tibias arenas visitadas por la luna, raíces que se pudren sordamente creciendo limo abajo, hasta su propio y acongojado corazón.

"Del fondo de su ser empezaron a brotar exclamaciones extasiadas, músicas nunca escuchadas: frases y notas hasta entonces dormidas dentro de su sangre y que ahora de pronto ascendían y recaían triunfalmente junto con su soplo, con la regularidad de su soplo.

"Y supo de una alegría a la par grave y liviana, sin nombre y sin origen, y de una tristeza resignada y rica de desordenadas sensaciones.

"Y comprendió lo que era el alma, y la admitió tímida, vacilante y ansiosa, y aceptó la vida tal cual era: efímera, misteriosa e inútil, con su mágica muerte que tal vez no conduce a nada.

"Y suspiró, supo al fin lo que era suspirar... porque debió llevarse las dos manos al pecho, dar unos pasos y echarse al suelo entre las altas raíces.

"Y mientras en la oscuridad creciente, largamente lo llamaban, lo buscaban, ¿recuerdan?, él, con la frente hundida en el césped, componía sus primeros versos".

Así hablaba Fred, entre tanto Silvia retrocedía lentamente, muda y a cada segundo más pálida y más pálida.

Y, ¡oh, Dios mío! ¿Quién hubiera podido prever aquel gesto en aquella niña mimada, tan bonita y tan tonta?

Apoderándose rápidamente del revólver que Alberto tirara descuidadamente momentos antes sobre la mesa, se había abocado el cañón contra la sien y sin cerrar tan siquiera los ojos, valientemente, como lo hacen los hombres, había apretado el gatillo.

—¡Mamá, venga, María Griselda se ha desmayado y no la puedo hacer volver!

Lo que de aquel horrible drama pudiese herir a su mujer, fue lo único que afectara a Alberto desde el primer momento; el resorte que lo hiciera automáticamente precipitarse, no hacia Silvia fulminada, sino hacia la puerta de su propio dormitorio, con el fin de impedir a María Griselda todo acceso a la desgracia que sin querer ésta había provocado.

—¡Venga, mamá, que no la puedo hacer volver! ¡Venga, por Dios!

Ella había acudido. Y una vez dentro del cuarto se había acercado con odio y sigilo hasta el borde del gran lecho conyugal, indiferente a las frases de estúpido apremio con que la hostigaba Alberto.

¡María Griselda! Estaba desmayada. Sin embargo, boca arriba y a flor de las almohadas, su cara emergía, serena.

¡Nunca, oh, nunca había ella visto cejas tan perfectamente arqueadas! Era como si una golondrina afilada y sombría hubiese abierto las alas sobre los ojos de su nuera y permaneciera detenida allí en medio de su frente blanca.

¡Las pestañas! Las pestañas oscuras, densas y brillantes. ¿En qué sangre generosa y pura debían hundir sus raíces para crecer con tanta violencia? ¡Y la nariz! La pequeña nariz orgullosa de aletas delicadamente abiertas. ¡Y el arco apretado de la boca encantadora! ¡Y el cuello grácil! ¡Y los hombros henchidos como frutos maduros! Y...

...Como debiera por fin atenderla en su desmayo, ella se había prendido de la colcha y echándola hacia atrás, destapado de golpe el cuerpo a medio desvestir. ¡Ah, los senos duros y pequeños, muy apegados al torso, con esa fina vena azul celeste serpenteando entremedio! ¡Y las caderas redondas y mansas! ¡Y las piernas interminables!

Alberto se había apoderado del candelabro, cuyos velones goteaban, y suspendiéndolo, insensato, sobre la frente de su mujer.

—¡Abre los ojos! ¡Abre los ojos!... —le gritaba, le ordenaba, le suplicaba. Y como por encanto, María Griselda había obedecido, medio inconsciente. ¡Sus ojos! ¿De cuántos colores estaba hecho el color uniforme de sus ojos? ¿De cuántos verdes distintos su verde sombrío? No había nada más minucioso ni más complicado que una pupila, que la pupila de María Griselda.

Un círculo de oro, uno verde claro, otro de un verde turbio, otro muy negro, y de nuevo un círculo de oro, y otro verde claro, y... total: los ojos de María Griselda. ¡Esos ojos de un verde igual al musgo que se adhiere a los troncos de los árboles mojados por el invierno, esos ojos al fondo de los cuales titilaba y se multiplicaba la llama de los velones!

¡Toda esa agua refulgente contenida allí como por milagro! ¡Con la punta de un alfiler, pinchar esas pupilas! Habría sido algo así como rajar una estrella...

Estaba segura de que una especie de mercurio dorado hubiera brotado al instante, escurridizo, para quemar los dedos del criminal que se hubiera atrevido.

—María Griselda, ésta es mi madre —había explicado

Alberto a su mujer ayudándola a incorporarse en las almohadas.

La verde mirada se había prendido de ella y palpitado, aclarándose por segundos... Y de golpe ella había sentido un peso sobre el corazón. Era María Griselda que había echado la cabeza sobre su pecho.

Atónita, ella había permanecido inmóvil. Inmóvil y conmovida por una extraña, por una inmensa, desconcertante emoción.

—Perdón —había dicho de pronto una voz grave.

Porque, ¡perdón! había sido la primera palabra de María Griselda.

Y un grito se le había escapado instantáneamente a ella del fondo mismo de su honda ternura.

—Perdón, ¿de qué? ¿Tienes tú acaso la culpa de ser tan bella?

—¡Ah, señora, si usted supiera!

No se acuerda bien en qué términos había empezado entonces a quejarse, María Griselda, de su belleza como de una enfermedad, como de una tara.

"Siempre, siempre había sido así, decía. Desde muy niña hubo de sufrir por causa de esa belleza. Sus hermanas no la querían, y sus padres, como para compensar a sus hermanas toda la belleza que le habían entregado a ella, dedicaron siempre a éstas su cariño y su fervor. En cuanto a ella, nadie la mimó jamás. Y nadie podía ser feliz a su lado.

"Ahí estaba Alberto, amándola con ese triste amor sin afecto que parecía buscar y perseguir algo a través de ella, dejándola a ella misma desesperadamente sola. ¡Anita sufriendo por causa de ella! ¡Y Rodolfo también! ¡Y Fred, y Silvia!... ¡Ah, la pobre Silvia!

"¡Un hijo! ¡Si pudiera tener un hijo! ¡Tal vez al verla materialmente ligada a él por un hijo, el espíritu de Alberto lograría descansar confiado!...

"Pero, ¡no parecía ya como que estuviese elegida y

predestinada a una solitaria belleza que la naturaleza —quién sabe por qué— la vedaba hasta de prolongar!

"Y en su crueldad, ni siquiera el nimio privilegio de un origen visible parecía haber querido otorgarle el destino... Porque sus padres no se parecían nada a ella, ni tampoco sus abuelos; y en los viejos retratos de familia, nunca se pudo encontrar el rasgo común, la expresión que la pudiera hacer reconocerse como el eslabón de una cadena humana.

"¡Ah, la soledad, todas las soledades!"

Así hablaba María Griselda, y ella recuerda cómo su rencor se había ido esfumando a medida que la escuchaba hablar.

Recuerda el fervor, la involuntaria gratitud hacia su nuera que la iba invadiendo por cada uno de los gestos con que ésta la acariciara, por cada una de las palabras que le dirigiera.

Era como una blandura, como una especie de cándida satisfacción, muy semejante a la que despierta en uno la confianza espontánea y sin razón que nos brinda un animal esquivo o un niño desconocido.

Sí, ¡cómo resistir a esta tranquila altivez, a la cariñosa mirada de esos ojos tan extrañamente engarzados!

Recuerda que ella comparaba en pensamiento la belleza de la presumida Silvia y la de su esplendorosa hija Anita, con la belleza de María Griselda. Ambas eran lindas, pero sus bellezas eran como un medio casi consciente de expresión que hubieran tal vez podido reemplazar por otro. En cambio, la belleza pura y velada de María Griselda, esa belleza que parecía ignorarse a sí misma, esa belleza no era sino un fluir natural, algo congénito y estrechamente ligado a su ser. Y no se concebía que María Griselda pudiera existir sino con esos ojos y ese porte; no se concebía que su voz pudiera tener otro timbre que aquel suyo, grave y como premunido de una sordina de terciopelo.

¡María Griselda! Todavía la ve vivir y moverse, sigilosa

y modesta, llevando su belleza como una dulce lámpara escondida, que encendía de un secreto encanto su mirada, su andar, sus ademanes más mínimos; el ademán de hundir la mano en una caja de cristal para extraer el peine con que peinaba sus negros cabellos... Y todavía, sí, todavía le parece estar oyendo el tic tac del invisible reloj que allá en esa lejana casa del sur marcara incansablemente cada segundo de aquella tarde inolvidable.

Aquel tic tac hendiendo implacable el mar del tiempo, hacia adelante, siempre hacia adelante. Y las aguas del pasado cerrándose inmediatamente detrás. Los gestos recién hechos ya no son Océano que se deja atrás, inmutable, compacto y solitario.

Y tú, Anita. ¡Orgullosa! ¡Aquí estás y ahí lo tienes a ese hombre que no te quería y a quien tú forzaste y conquistaste! A ese hombre a quien se le escapará más tarde en alguna confidencia a otra mujer: "Yo me casé por compromiso". Lo odias, lo desprecias, lo adoras, y cada abrazo suyo te deja cada vez más desanimada y mucho más enamorada.

Temblar por el pasado, por el presente, por el futuro; por la sospecha, el rumor o el mero presentimiento que venga a amenazar la tranquilidad que deberás fabricarte día a día. Y disimulando, sonriendo, luchar por la conquista de un pedacito de alma día a día... esa será tu vida.

¡Rodolfo! Helo aquí a mi lado y a tu lado, ayudándote a salvaguardar los cirios y las flores, estrechándote la mano como tú lo deseas.

Un llevar a cabo una infinidad de actos ajenos a su deseo, empeñando en ellos un falso entusiasmo, mientras una sed que él sabe insaciable lo devore por dentro... ésa será su vida.

Ah, mi pobre Anita, tal vez sea ésa la vida de nosotros todos. ¡Ese eludir o perder nuestra verdadera vida encubriéndola tras una infinidad de pequeñeces con aspecto de cosas vitales!

TRENZAS

Porque día a día los orgullosos humanos que ahora somos, tendemos a desprendernos de nuestro limbo inicial, es que las mujeres no cuidan ni aprecian ya de sus trenzas.

Positivas, ignoran al desprenderse de éstas, ponen atajo a las mágicas corrientes que brotan del corazón mismo de la tierra.

Porque la cabellera de la mujer arranca desde lo más profundo y misterioso; desde allí donde nace y tiembla la primera burbuja; que es desde allí que se desenvuelve, lucha y crece entre muchas y enmarañadas fuerzas, hasta la superficie de lo vegetal, del aire y hasta las frentes privilegiadas que ella eligiera.

¡Las obscuras y lustrosas trenzas de Isolde, princesa de Irlanda, no absorbieron acaso esa primera burbuja en tanto sus labios bebieran la primera gota de aquel filtro encantado!

¿No fue acaso a lo largo de esas trenzas que las raíces de aquel filtro escurriéronse veloces hacia su humano destino? Porque quién ha de dudar jamás de que cabellera alguna gozara de tal rumor de fuentes subterráneas, de un tal suspirar de brisas y de hojas. Rumor y suspirar que en esas noches suyas de amor y luna, Tristán destrenzaba a fin de escuchar extasiado el canto lejano, persistente y secreto... el canto natural de aquella cabellera.

Y sé y debo decirlo, que hasta cuando Isolde dormía, su cabellera seguía alentando entreabierta, ya sea en la almohada del castillo de Tintajel, ya sea en los trigos del destierro... y florecía de flores extrañas que ella arrancara atemorizada a cada amanecer.

Y las rubias trenzas de Melisanda, más largas que su mismo cuerpo delicado.

Trenzas que al inclinarse imprudentes, un atardecer de otoño, descolgáronse torreón abajo, sobre los hombros fuertes del propio hermano del Rey... su marido.

—Melisanda —grita Pelleas espantado. Luego estremecido y dejando por fin hablar su corazón—: Melisanda —murmura...—, tus trenzas, tus trenzas que al fin puedo tocar, besar, envolverme en ellas.

Por respuesta sólo un suspiro desde lo alto del torreón. Las trenzas habían ya confesado, sin saberlo, esa verdad tímida y ardiente que su dueña llevaba tan bien escondida dentro de su corazón.

¡Y por qué no recordar ahora las trenzas de nuestra dulce María de Jorge Isaac! Trenzas segadas y envueltas en el delantal azul con que ella regara su pequeño rincón de jardín.

Trenzas picoteadas de mariposas secas y de recuerdos con las que Efraín durmiera bajo la almohada su larga noche de congoja.

Trenzas muertas, aunque testamento vivo que lo obligara a seguir viviendo, aunque más no fuera para recordarla.

La octava mujer de Barba Azul... ¿la habéis olvidado? y de cómo su extravagante y severo marido al emprender inesperado viaje confiara a su traviesa esposa las llaves y acceso a todas las estancias de la suntuosa y vasta mansión, salvo prohibiéndole el hacer uso de aquella diminuta y mohosa que llevara a la última pieza de un abandonado y desalfombrado corredor.

De más está explicar que durante esa bienvenida ausencia marital, en medio de tanta diversión, amigas reidoras y airosos festejantes, el juego que más la intrigara y tentara, fuera el único juego prohibido. El de introducir en la correspondiente cerradura la misteriosa llavecilla de aquel íntimo cuarto abandonado.

Muy sabido es que tanto en las mujeres como en los gatos, la curiosidad siempre triunfó sobre toda otra pasión. Así, pues, cuando al regreso intempestivo de su amo y señor, la esposa desobediente, hubo de hacerle temblorosa entrega del manojo de llaves, entre éstas aunque maliciosamente disimulada, el temible caballero la descubrió no sólo mohosa..., sino además tinta en sangre.

"Vos, señora, me habéis traicionado —rugió—, no os queda otro destino que ir a reuniros con vuestras tristes amigas al final del corredor".

Dicho esto desenvainó su espada...

¿Y a qué viene este cuento que conocemos desde nuestra más tierna infancia, se estarán preguntando ustedes? En nada tiene que ver con trenza alguna...

—¡Sí que la tiene! —respondo con fuerza—. No comprenden ustedes que no fue la pequeñísima tregua que el indignado marido concediera a su inconsciente esposa, a fin de que orara por última vez; ni tampoco fueran los ayes ni llamados que Ana aterrorizada lanzara desde la torre pidiendo auxilio para su hermana.

Y ni siquiera el cabalgar desaforado y caprichoso que en esos momentos dos hermanos guerreros emprendían de visita hacia el castillo.

No, nada de todo aquello fue lo que la salvara.

Fueron sus trenzas y nada más que sus trenzas, complicadamente peinadas en cien y más sedosas y caprichosas culebras, las que cuando el implacable marido la echara brutalmente a sus pies, a fin de cumplir su cometido, las que trabaron y entrabaron sus dedos criminales, enredándose a sí mismo en desesperada madeja a lo largo del filo de su espada, obstinándose en proteger esa nuca delicada hasta la irrupción providencial de los dos dichos guerreros, también hermanos muy queridos, previamente invitados por nuestra pobre curiosa.

Así, pues, no en vano durante dieciocho inocentes y alegres abriles, esa muchacha que fuera luego la insensata castellana y última mujer de Barba Azul, cepillara cantando esa su cabellera, comunicándole vigor y hermosura.

"Era muy pálida así como las mujeres que tienen la cabellera muy larga", describe Balzac, a una de sus enigmáticas heroínas.

Y no era un capricho verbal.

Porque Balzac hubo sin duda alguna de intuir desde siempre esa correspondencia íntima que suele establecerse entre los seres y el hondo misterio de la tierra.

Y aquí estoy para comprobar e ilustrar esa afirmación suya con el extraño acontecimiento presenciado y vivido no muchos años ha, por tantos de nosotros.

¡A qué dar nombres ni lugares! Quienes los conocen los saben; los demás, bien pueden adivinarlos.

Dos hermanas.

Final de una larga, brillante, poderosa familia, aunque siempre acosada por escondidas pasiones, muertes inesperadas, suicidios.

La hermana mayor, marchita ya desde muy joven recortóse el pelo, vistió poncho de vicuña y a pesar de las afligidas protestas de sus mundanos padres, retiróse al inmenso fundo del sur, que ella misma se dedicara a administrar con mano de hierro. Los campesinos refinados no tardaron en llamarla la Amazona. Era terca pero justa. Fea pero de porte atrayente y sonrisa generosa. Solterona... nadie sabe por qué.

La menor, por el contrario, era viuda por su propia voluntad de mujer herida en el orgullo de su corazón. Era bella en extremo aunque igualmente frágil de salud.

También ella vivía sola, pero en la antigua mansión de la familia en la ciudad. Tenía una voz suave, ojos castaños-tranquilos, pero la trenza roja que apretaba en peinado alrededor de su pequeña cabeza, arrojaba violentos fulgores sobre su tez pálida.

Sí, era una mujer dulce y terrible. Se enamoraba y amaba perdidamente.

Todo empezó en el fundo esa noche de otoño, en la cual el guardabosque bajara a la hondonada gritando: "¡Incendio!"

Hacía rato, sin embargo, que con la frente pegada a los cristales de su ventana, la Amazona observaba intrigada aquel precoz purpúreo amanecer, despuntando allá arriba, dentro de los cerros de la propiedad... con su calma de siempre dio órdenes al personal de las casas, pidió su caballo y se encaminó hacia el incendio, en compañía de sus mayordomos.

Entretanto, en la ciudad, la hermana menor, de vuelta de un baile, yacía sobre la alfombra del salón, presa de un súbito desmayo.

Sus festejantes idos, sus servidores dormidos y ella por primera vez, sumergida, abandonada en la sombra de los candelabros que hubiera empezado a apagar. Cual si mal cómplice, aquella ráfaga de viento helado, ahora soplando y estremeciendo los cortinajes de los altos balcones, entreabriéndolos para ir a instalarse sobre la frente, hombros y pechos descubiertos de la indefensa.

En el fundo del sur la Amazona y su séquito ascendían cuestas, adentrándose en el bosque y sus incendios. Otro soplo, este ardiente y acre, barría en contra de ellos, bandadas de hojas chamuscadas, de pájaros enceguecidos y de nidos inflamados.

Sabiéndose vencida de antemano. ¡Quién lograría y de qué manera retener la furia de esa llamarada!

La Amazona sentada en el tronco de un árbol muerto y caído ha muchos años, resignada estoicamente al espectáculo de la catástrofe, con la tétrica dignidad con que un magnate ultrajado asiste al saqueo y destrucción de sus bienes.

El bosque ardía sin ruido y ante la Amazona impasible los árboles caían uno a uno silenciosamente y ella contemplaba como en sueño encenderse, ennegrecerse y desmoronarse galería por galería las columnas silvestres de aquella catedral familiar... permitiéndose recordar, pensar y sufrir por primera vez...

Ese enorme avellano consumiéndose... ¿no era bajo su avalancha de secos frutos que sus hermanos y niñeras se reunían para saborear el picnic codiciado?

Y tras aquel gigantesco tronco... árbol cuyo nombre olvido, venía a esconderse después de sus fechorías... y aquellas pobrecitas callampas temblorosas, que bajo el cedro arrancaran u hollaran sin piedad... y aquel eucalipto del que se abrazara —jovencita— llorando estúpidamente al comprender y sentir la desilusión primera, esa pena que no confesó nunca, esa pena que la incitara a cortarse el pelo, convertirse en la Amazona y resolverse a no amar de amor nunca... nunca...

Allá en la ciudad, despuntaba el alba, sobre la alfombra del cuerpo inerte de la hermana —la que se atrevió siempre a amar—, hundiéndose por leves espasmos en aquello que llaman la muerte... pero como nadie sabía, no se encontró a nadie que pudiera intervenir a tiempo para rescatar a esa roja trenza que persistía aún tras su loca noche de baile.

Y de pronto allá abajo en el fundo fue el derrumbe final, el éxodo de los valerosos caballos que volvían con el pelaje y crines erizados, salvando ellos a sus jinetes semiasfixiados.

Del inmenso bosque en ruinas empezaron a brotar enormes lenguas de humo, tantas y tan derechas como árboles se habían erguido en el mismo sitio.

Durante un breve instante, aquel fantasma de bosque osciló y vivió frente a su dueña y servidores que lloraban. Ella no.

Luego escombros, cenizas y silencio.

Cuando en la ciudad vinieron a cerrar los balcones y levantaron a la muy frágil para extenderla sobre el lecho tratando vanamente de reanimarla, de abrigarla, ya era tarde.

El médico aseguró que había agonizado la noche entera.

Pero el bosque hubo de agonizar y morir junto con ella y su cabellera, cuyas raíces eran las mismas.

Las verdes enredaderas que se enroscan a los árboles, las dulces algas a sus rocas, son cabelleras desmadejadas, son la palabra, el venir y aletear de la naturaleza, son su alegría y melancolía, son su expresión por medio de la cual la naturaleza infiltra confusamente su magia y saber a los seres.

Y es por eso que las mujeres de ahora al desprenderse de sus trenzas han perdido su fuerza adivina y no tienen premoniciones, ni goces absurdos, ni poder magnético.

Y sus sueños no son ahora sino una triste marea que trae y retrae imágenes cansadas o alguna que otra doméstica pesadilla.

LA MAJA Y EL RUISEÑOR[*]

A Patricia Lutz

a su encanto personal,
a su talento que es poesía y adivinar,
y a su infinita paciencia para con este autor.

...Y aun cuando con los ojos vendados me pasearan por el mundo entero tratando de perderme por sus caminos, con los ojos vendados me bastaría respirar hondo, tan sólo una vez, para saber que me encuentro en Viña del Mar.

—Pero, ¿cómo?, ¿por qué? —se me pregunta.

—Porque nadie que haya nacido y vivido sus primeros años en Viña del Mar dejaría de reconocer al instante ese aire oloroso, mezcla de jardines recién regados y de cálidas neblinas, más la fragancia amarga de los pinos en los cerros de la Quinta Vergara, unida al aliento azul y frío del mar.

—Un perfume único —diríamos.

—En todo caso, inconfundible... para nosotros —contesto.

—Bien, sí, tal vez —se me responde—. Pero, aparte de su perfume y siempre con los ojos vendados, ¿en qué se reconocería usted además en Viña del Mar?

La pregunta me parece interesante, un desafío.

—Con los ojos vendados —contesto después de una pausa— uno también puede escuchar, oír. Y ahora mismo desde una ausencia de tantos años, yo escucho... oigo.

—¿Y qué oye?

—Oigo el silencio de Viña del Mar en un día tibio de

---

[*] De *El niño que fue*. Ediciones Nueva Universidad. Universidad Católica de Chile, Santiago, 1975.

71

invierno. Silencio desgarrado a ratos por gritos gozosos de niños a caza de los tímidos, destructivos caracoles, escondidos tras las enredaderas de geranios siempre en flor...

—¿A caza... de caracoles?

—Claro —río—, los jardineros no tienen tiempo que perder en tales guerrillas. Eramos los niños los encargados; soldados, he de confesar, a menudo mercenarios. ¡Una chaucha por el ciento de caracoles que se nos solía ofrecer! Un balde lleno de pobres bichos condenados a morir escaldados. Escaldados, ustedes saben lo que es...

—Sí, ¡oh sí! —se me interrumpe precipitadamente—; pero díganos: ¿qué otra cosa oye usted, así de tan lejos y después de tantos años?

—Bueno... algo insignificante. Algo así como el golpeteo de mil pies muy livianos en una marcha como de duendes... es la garúa azotando el asfalto de avenidas y calles tranquilas donde taciturnos faroles se empiezan a encender uno a uno.

—El silencio, los niños, los caracoles, la lluvia..., pero, ¿y el mar?; ¿que no existe?, ¿que no se le oye?

—Ah, el mar... por supuesto, ahí está —contesto con inconsciente frivolidad—, pero si he de hablar con franqueza, durante el invierno los viñamarinos lo echamos totalmente al olvido. Despechado por cierto, se levanta de pronto en temibles temporales, y amenaza, y grita ronco, llevándose cuanto puede alcanzar por sus orillas. Así y todo no es mucho lo que logra impresionarnos.

—Durante el invierno. Pero, ¿y en verano?

—En el verano... oh, es muy distinto... —Y súbitamente arrastrada por la pasión del recuerdo hablo y explico de nuestro mar en verano.

De como apenas lo buscamos él vuelve a ser nuestro mejor amigo. De como ya de muy niños, allá en la playa Miramar, él nos permitía corretear cerca y a lo largo de sus orillas jugando a mojar y remojar nuestros pies desnudos en el venir de sus primeras horas. Venir brusco y bravo durante el cual él encontraba, sin embargo, manera de salpicarnos hasta la frente su helado beso de buenos días.

De como en cambio, nosotros, ya entrada la mañana, sin su permiso ni respeto alguno, solíamos aventurarnos paso adelante en su dominio. Las niñas, faldas alzadas, caminando hasta hundir la rodilla y muslo inseguro en sus aguas ahora vivas de sal y sol. Los niños, ellos dejándonos allí varadas —es la palabra— y prosiguiendo orgullosos la marcha hasta donde pudiéramos divisarlos, sumir cintura, luego medio pecho, para continuar internándose, los muy inconscientes...

—Es que ellos tal vez sabrían nadar —se me insinúa con leve sonrisa.

—¿Nadar? No, por cierto. Ni ellos ni nosotras —reaccionó brusco—. Si no éramos más que una banda de infelices chiquilines.

—Y entonces, ¿cómo hacían para volver de semejante travesía?

—Las niñas —replico— nada más sencillo, caminando tomadas de la mano y siguiendo tranquilas la huella que nuestros inquietos pies supieran recordar bajo el agua en la arena. Ni un solo desliz, ni el menor malhadado enterrarse de nuestros pasos. Viaje feliz en el ascender cordial de la marea hasta alcanzar la playa mucho antes que nuestros valientes exploradores... y sin haber necesitado de su compañía ni del apoyo galante de su brazo —concluyó, echándome de pronto a reír junto con mis interlocutores de lo infantil de mi despecho y desahogo final.

—Pero ellos —me preguntan gozando aún de aquella pausa de espontánea e inocente hilaridad—, ellos, los arrogantes exploradores, ¿cuándo y cómo volvieron?, si es que volvieron...

—Volvieron. Sí que volvieron. O mejor dicho, llegaron, los trajeron...

Y libre ya de todo resentimiento, les cuento de cómo en tanto nosotras los esperábamos triunfantes, nuestros héroes, allá en su elemento, decidieron detenerse... cosa de un respiro.

Fue este punto de la hazaña que comprendiendo sus intenciones de reanudar la marcha en busca obstinada de algún peligro cierto y seguro, nuestro amigo Mar se dignara al fin acusar recibo del atropello y enviar al encuentro de los invasores una de sus olas predilectas. Una de aquellas que él permite dormir apacibles y largo en lo recóndito de su ser, y que despertando alertas a su llamado, acuden sigilosas desde lo hondo.

Y levantando apenas el lomo poderoso por sobre la superficie de sus aguas, avanzan lentas a fin de empujar calladas y por la espalda al náufrago perdido, al nadador cansado, o a quien fuere su misión, hacia la vida, hacia la muerte, o a quién sabe cuál enigmático destino. En este caso...

Misión: los niños.

Destino: Playa Miramar, a la que los devolviera, dejándolos tendidos por las arenas, tiritando de susto y muertos de rabia y de vergüenza.

Pausa larga.

—A pesar de todo actuó noblemente su mar —declaran mis oyentes.

—Es que tiene corazón y es de verdad amigo... aunque rencoroso —agrego casi a pesar mío.

—¿Rencoroso él, luego de lo que acaba de contarnos? ¡Imposible!

Suspiro y, entonces, no sin cierto dejo de amargura, he de exponerles el caso de aquellos socavones que ahondáramos confiados en su arena, aunque ahora a discreta distancia, y guardándonos bien de ir nuevamente a explorar dentro de su intimidad y actividades personales.

Él, sin embargo, se encargaba en nuestra ausencia de venir a investigar y muchas veces de anegar nuestros pobrecitos socavones, cuyos corredores encontrábamos ya sea obstruidos, ya derrumbados, o totalmente desintegrados por dentro.

Claro está que, tal como si avergonzado ante nuestra inocente consternación, el muy hipócrita se excusaba, cada vez, alegando de la falta de disciplina y piedad de alguna de sus crecientes mareas.

—Y tal vez fuera verdad, o sólo bromas que él quisiera jugarles, bromas un tanto pesadas, pero muy propias de su carácter —se me objeta con benevolencia.

—¡Bromas! —exclamo—. ¿Broma también la del castillo?

—La del castillo. ¿Qué castillo? ¡Ah!, ya vemos, se refiere a ese cerro de ustedes que llaman el Cerro Castillo...

—No, por cierto —interrumpo airadamente—. Les hablo de cosas serias, de otra clase de castillos.

—Oh, no sabemos, no conocemos bien... —piden disculpas.

—Soy yo, al contrario, quien las pide —bajo la voz, de pronto, consciente de mi tono agresivo y poco adecuado a la situación—. Por favor, perdonen.

Se me perdona.

Y entonces aliviada empiezo a contarles del castillo que intentara hablarles minutos antes.

Era un castillo de arena.

Castillo que, escarmentados con lo de los socavones, empezamos a construir playa arriba y a vista de la hilera multicolor de nuestras carpas de familia.

Castillo, pese al pasado, hecho de las duras arenas mojadas y de las grises piedras alisadas, que bajábamos por turno a recoger a lo largo de las orillas de nuestro atrabiliario pero siempre generoso mar. Material éste con que él nos permitía llenar a gusto los baldes de lata que cargáramos trabajosamente de vuelta a La Obra.

Bien, aquel castillo construido con tanto amor y empeño, aquel hermoso castillo con sus dos imponentes cuerpos de edificio, sus almenas ornadas de conchillas, sus puentes, torres y torreones y sobre el que flameaba al tope la banderita chilena de papel que entusiasmado nos regalara de yapa uno de los fotógrafos de la playa... Bien, aquel castillo único, recién terminado y alrededor del cual empezaban a apiñarse chicos y grandes, todos estupefactos, lelos, maravillados... he aquí una ola, que memoria de viñamarino alguno recordara haber subido así de veloz a semejante hora, irrumpe salvaje derecho hacia él y arrollándolo todo a su paso alcanza hasta las mismas carpas, entra en ellas para salir y retirarse con igual tanto desenfado como viniera... llevándose y sembrando tras sí, al azar, quitasoles, zapatos, carteras, sombreros de paja y hasta la banderita del castillo... nuestro castillo, ahora tan sólo un informe montón de piedras y arena.

Breve, atribulado silencio.

—Eso sí parecería ser acto de rencor —me dicen luego de un aparente reflexionar sobre el incidente—, aunque, tal vez, ¿por qué no?, un arrebato de celos.

—¡De celos! —exclamo sorprendida.

—Sí, recuerden que ustedes desertaron las orillas y compañía de una personalidad amiga tan importante como sensible... para organizar y vivir sus juegos allá arriba, a distancia, y cerca de lo que ésta ha de considerar insignificante, es decir, cerca de la gente.

—Verdad, es verdad. Pero celos... —repito pensativa y deleitándome con la idea—. Celos, nunca imaginamos, ni se nos ocurrió... En todo caso —reacciono brusco y atajando en mí aquella naciente ilusión—, en todo caso no impide que dicha notable y sensible personalidad nos perjudicara y ofendiera al punto de vernos obligados a romper relaciones con ella... por casi una semana. Semana durante la cual no asentamos pie en su dichosa orilla... ni jugamos, ni iniciamos trabajo alguno en sus famosas arenas.

—Pero, entonces, díganos: ¿qué hacían ustedes toda la mañana?

—Verán —replico.

Y haciendo memoria, les cuento de cómo apenas llegados a las carpas y luego de habernos descalzado y

76

desvestido para vestir y calzar nuestras cómodas descuidadas prendas de playa, salíamos corriendo escapados en dirección a las rocas.

Aquellas altas empinadas rocas, verdadero bastión de aventura y acechanzas.

¡Con qué bélico entusiasmo emprendíamos su asalto y escalar! Buscando asideros y apoyos para pies y manos en las erizadas peñas y sus escondidos huecos, subíamos escudriñándolo todo entremedio, hasta alcanzar la cúspide.

Allí, las gaviotas, su grito errabundo, el aliento de la brisa, el acariciar del sol, y nosotros observando desde lo alto y sin que él lo supiera al amigo traidor.

Y mirándolo y admirándolo en toda su inmensidad y esplendor, extendiendo más allá del horizonte aquellas sus aguas azul-frío, ya refulgentes, ya apagadas... misteriosas.

Sí, era de verdad un espectáculo nuestro mar... y entretenido, además. Porque ya fuese que jugase a jugar o a no jugar, él...

Hasta que súbito y junto con el cañonazo de las doce viniendo a revolver el aire y las gaviotas, recordáramos a tiempo no estar en buenos términos con él, y dándole precipitadamente la espalda emprendíamos aquel alarmado regreso.

Saltando entre las rocas hasta encontrar cierta determinada y estrecha pendiente, tapizada verde y amarillo de aquel resbaladizo musgo marino llamado luche, nos deslizábamos como montaña rusa hacia abajo. Y una vez tocado playa corríamos acezando de vuelta a las carpas, frente a las cuales Amelia y Rosa, nuestras respectivas niñeras, esperaban sentadas un poco adelante en la arena, conversando y tejiendo de memoria... aunque, tal como lo presumiéramos, ya no sólo inquietas sino bastante irritadas.

—¡De nuevo en las rocas! ¿Que no se lo habíamos prohibido? ¡Y no, no lo nieguen...!, que desde aquí mismo los divisamos allá arriba en la punta, hechos unos locos. ¡Un día de estos se quiebran una pierna!

—¡O se rompen la cabeza! Se lo diré a la señora...

Calmadas, sin embargo, ante nuestro reaparecer ilesos, luego de ordenarnos dentro de las carpas a fin de que nos peináramos, calzáramos y vistiéramos de nuevo como la gente, ellas reanudaban esa conversación acerca de esa amiga y de ese anillo...

"De esa amiga cuyo anillo al enterrar y revolver distraídamente la mano en la arena, justo allá cerca, tres carpas a la derecha, se le había escurrido del dedo.

Y el que, pese al afligido hurgar y delicada búsqueda de todos en su derredor, no se lograra encontrar.

"Era su anillo de compromiso, pobre muchacha.

"Y figúrense ustedes, que desde aquel mismo día las cartas de su novio, un apuesto mozo de la marina mercante, empezaron a escasear hasta que no recibiera palabra alguna acerca de su paradero ni sentimientos.

"El barco llegó y volvió a salir de Valparaíso sin que él diera señales de vida.

"Entonces, notándola triste, los patrones de la amiga, don Pepe y la señora Elvira, le ofrecieron ponerse al habla e informarse con la Compañía. Pero, aunque agradecida, ella rehusó, orgullosa, creyéndolo desenamorado o tal vez casado con otra en algún puerto lejano.

"Cuando sucede que el verano siguiente, ahora ya resignada y tranquila, dicha amiga viniera a sentarse justo allá en el mismo lugar, tres carpas a la derecha, y en tanto vigilara a los mismos niños y revolviera automáticamente al azar la misma mano en la arena, algo duro vino a encajarse entre sus dedos. ¿Una piedrecilla? No... ¡El anillo, el anillo! Su propio anillo de compromiso, luciente y vivo ahí en la palma abierta de esa mano que levantara indiferente ante sus ojos".

Aquí, breve pausa emocionada, seguida de las inevitables exclamaciones de goce y admiración de parte de nuestras narradoras.

"Sin embargo, la historia no terminaba allí. Pues figúrense ustedes que a su vuelta de la playa, el novio perdido se encontraba él también en casa de los patrones.

"Y, arrepentido, llorando, le suplicaba casi de rodillas que lo perdonara, que volviera a él, que..."

—Puras mentiras —exclamó a este punto uno de los niños, aburrido de tanto milagro.

—¡Mentiras! ¿Que me ha llamado mentirosa? Muy bien. Se lo diré a la señora.

—Además, los hombres no lloran.

—Y sigue, ¡mocoso insolente! Muy bien. Se lo diré a la señora... Ella sabe que es cierto —agrega, la voz quebrada y toda su persona así como temblorosa.

—Por supuesto —declara firme nuestra Amelia, e imperativa nos manda ipso facto, tanto a nosotros como a los niños de Rosa, a recoger nuestros haberes, es decir, palas, moldes, etc., y salir caminando adelante hasta el paseo en donde habíamos de esperarlas para continuar todos juntos camino a casa.

Obedeciendo encantados y con la celeridad del rayo alcanzábamos el paseo a la hora exacta de su apogeo.

A la hora en que ya sea por grupos o en parejas, tomados del brazo o caminando aparte, los elegantes de Santiago así como los distinguidos rezagados de Viña del Mar iban y venían a lo largo de la playa, cruzándose y saludándose, recruzándose y sonriéndose, pero todos ellos visiblemente disfrutando del aire, del sol... y de aquella tan exclusiva como placentera vida social.

Telón de fondo: palmeras, coches victoria, cocheros amables y caballos relucientes trayendo o esperando a sus felices veraneantes.

Detenidos a la vera de esta procesión de refinada magnificencia y discreta ostentación, los niños aguardábamos pacientes, no por cierto a los tiranos que dejáramos atrás, sino al desfile ante nos de las muchachas de moda y primer baile.

Y entre ellas, por sobre todo ver, con nuestros propios ojos ver a la más rubia y graciosa, a la más transparente y azul, a la de la nerviosa risa de cristal y de porte alado, a la que muy pronto después fuera la primera reina de belleza oficialmente consagrada en nuestra historia de Chile.

Pilar, Pilar, o, para ser más exacto: Felicitas Subercaseaux. Quisiera decirte: ¡Cuán pequeño tu título y cetro en nuestro recuerdo, comparado a nuestro verte pasar! Verte pasar era milagro y emoción. Era el pasar de algo inasible, muy querido y muy frágil. Ráfaga de alegría mezclada a eso que uno siente cuando va a llorar...

Razón por la cual, perturbados, comprendiendo apenas lo que nos pasaba dentro, emprendíamos súbita y atropellada carrera hacia el fin del paseo y hasta el último banco en donde aquel viejo señor alemán, siempre solo, acogía gustoso nuestra visita regalándonos helados y barquillos que, alineados junto a él, cual bandada de pajarillos sobre un alambre, saboreábamos a gusto, escuchando apenas sus consejos y raras ocurrencias.

—Niños —nos advertían—, en las horas de bajamar, quedan al descubierto, en las rompientes, pintados lechos de delicadas anémonas, pero, ¡ay del que huelle esa alfombra ardiente que devora...!

Un silencio, luego.

—Niños, ¿sabían ustedes que existe una ahogada muy blanca y enteramente desnuda que todos los pescadores de Chile tratan en vano de recoger en sus redes?

—Tal vez una sirena... —insinúa tímidamente una de las niñas.

—¡Inocente! ¡Cabeza de chorlito! —reta severo nuestro viejo amigo—. Nada más que una gaviota desmayada que llevan y traen las corrientes del Pacífico —agrega frívolamente.

Reír de todos. Luego calma y el seguir saboreando helados hasta nueva declaración del amigo.

—Niños, ustedes no lo creerán, pero yo conozco las escondidas vetas, las venas comunicantes por donde el océano infiltra sus mareas en la tierra para subir hasta las pupilas de ciertas mujeres que nos miran de pronto con ojos profundamente verdes. ¡Y cuidado, hijos! Desconfiar de ellas, que son brujas...

—Pero si mamá tiene los ojos verdes y no es bruja —protesta uno de los niños.

—He dicho que esas mujeres que miran de pronto con ojos demasiado verdes —replica golpeado nuestro viejo señor—. ¿Que no se les ha enseñado a escuchar?

Apenas si empezábamos a disculparnos, cuando he aquí a nuestra Amelia y Rosita, cayendo jadeantes, y esta vez francamente enojadas, sobre la reunión.

—¡Si ya es el colmo! Arrancarse con tal descaro...

—¡Y nosotras buscándolos como tontas!

Acto seguido, sin miramientos ni explicaciones fue el tomarnos de un ala para seguir rápida marcha a casa, quejándose y retándonos "todo el camino".

—¡Y ahora de nuevo atrasados para el almuerzo!

—Y claro, porque a los preciosos se les antoja ir a sentarse con el viejo loco.

—Y sacarle tanto helado y barquillos.

—¿Que no les da vergüenza? Pobre caballero. Se lo diré a la señora.

A este momento yo aquí, en Nueva York, siento y caigo en cuenta que me he extraviado en detalles pueriles y ajenos al propósito de la entrevista. Y ante todo que he hablado mal y que no he hecho del todo justicia a nuestro mar.

Porque de noche. ¡Oh, sí, nuestro mar es otro ser!

Y entonces, voz y ánimo cambiado, recuerdo y cuento ahora cómo desde mi casa, allá en el fondo de la calle Montaña, la noche entera percibíamos nítidamente el nacer, alzarse y desplomarse de cada ola, y hasta el suspiro de la espuma que ésta desparramara por las arenas. Un breve silencio hecho de luna, y de nuevo el murmullo del nacer, alzarse y desplomarse de la próxima ola, y de la siguiente, y de la otra...

El mar en verano, el corazón mismo de Viña. Un corazón cuyos latidos podíamos contar.

Luego, más tarde en medio de la noche, era el pitido orgulloso del expreso de Santiago a Valparaíso, rayo luminoso cortando por entre pueblos y jardines... el temblar de las grandes casas dormidas a ambos lados de la línea...

Sí, oigo todavía ese pasar fantasma del "Nocturno", marcando para los que no dormíamos, la hora exacta de nuestro insomnio y tristeza.

—Tristeza, ¿habla usted de tristeza cuando empezaba a convencernos de que pudiera aún existir un pequeño rincón de paraíso?

Esta reacción de parte de mis interlocutores, reacción que no esperaba y que siento sincera, me conmueve y sobrecoge a la vez.

—¿Existe, existe ese rincón de paraíso —me pregunto súbitamente alarmada—, o es que sin darme cuenta, por mero placer poético, he estado propagando una ficción?

Y a mi memoria acuden presurosos mis últimos recuerdos de Viña del Mar.

El Casino con sus jardines bien trazados, su golf miniatura, sus iluminaciones, sus salas de juego y de baile, sus comedores, bares y orquestas... y al borde del mar, una que otra mansión convertida en lujoso restaurante.

Y el Hotel O'Higgins, moderno, cosmopolita, eficiente.

Y la plaza, aquel pequeño parque umbrío despojado de su misterio... ¡pavimentada! Desaparecido el viejo estanque con sus cisnes. Uno de ellos era negro.

Y desaparecida en Miramar la playa en que de niños ahondamos socavones y levantábamos castillos de arena. Las altas rocas que solíamos escalar, desaparecidas, tragadas ellas también por el mar que avanza ahora triunfante hastra la rambla.

Rambla defensora, y a su largo, ancha vereda práctica, moderna y... desierta.

¡De ayer el Paseo Miramar y su pasear de moda al mediodía! ¡De ayer sus coches tirados por briosos y bien cuidados caballos, trayendo y esperando a sus veraneantes junto a las palmeras!

Pilar, Pilar, Felicitas Subercaseaux paseando su belleza e inquietud por otras playas y otros mundos.

Y muerto ya hace mucho, me lo dijeron, el viejo y solitario señor alemán que nos regalara de helados y barquillos, mientras contándonos de cosas que ahora comprendo no fueran locura sino... poesía.

¿Existe, existe aún ese rincón de paraíso?, me pregunto más y más angustiada, mientras afluyen a mi memoria las últimas noticias oídas aquí en Nueva York.

Edificios-departamentos, grandes garajes-modelo y la marea agresiva del turismo...

A este punto de la entrevista no sólo me atemoriza ya la idea de un desmentido al pequeño mundo que acabo de describir, sino la del derrumbe de otro mundo, dentro de mi propio corazón.

Fue un silencio, si largo para mis interlocutores, infinito para mí.

Hasta que, suavemente, algo así como un rayo de sol, un dedo de oro sobre el hombro empezara a empujarme dentro de la memoria a lo largo de un largo parrón. Al final, una fuente, y detrás, un grupo de antiguos eucaliptos.

Y entremedio y sentadas en improvisados cojines, mezcla de gangochos y tierra de jardín, la espalda apoyada en sus troncos descascarados y a la sombra movediza de su follaje, tres niñas, ahora adolescentes, mis dos hermanas y yo leyendo en francés su primera novela rosa.

Era un domingo de tarde apacible y libre de colegio y tareas.

Ahí, pues, silenciosas, ensimismadas. La una, en la historia de las humillaciones, digna actitud y triunfo amoroso de la dulce "Magali" en la novela del mismo nombre. La otra, en la tenebrosa aventura de la valiente y delicada Lil, señorita de compañía en el castillo del taciturno duque de "Malencontre", nombre también del libro. La tercera sigue con pasión el destino de aquella maltratada joven de misterioso origen, de Edith de Ferlac, malévolamente sustraída en la cuna y que la fuerza de las circunstancias empujaron años después a tocar ignorante a la puerta de su legítimo hogar y padres engañados, en calidad de servidora de aquella otra niña que usurpara su identidad y situación...

Cuando he aquí que aquel súbito soplo de viento de casi cada tarde viene a interferir entre nuestra lectora y el feliz desenlace de su libro encantado *L'héritière de Ferlac*.

Soplo de viento que, tras de irrespetuoso sacudir de las dignas copas de los eucaliptos, se cuela entre éstas desordenando el follaje al pasar, así como ahora la cabellera de las niñas sobre el hombro de las cuales viene a inclinarse para volver a revolver sin tino las páginas de sus libros... seguir carrera, detenerse y recaer de golpe y un poco más lejos, con igual prontitud con el que naciera.

—¡Pobre viento! —comenta la primera de nuestras lectoras— ¡Si él quería leer nuestros libros!

—¿Y eso en un segundo? Dime, o él o tú están locos —protesta la otra.

—¡En fin, ya sosegó! —suspira la tercera volviendo a su dominio de Ferlac y crueles pruebas de su heredera.

Cuando he aquí un nuevo soplo del mismo viento, levantándose para repetir veloz a su pasada los mismos hechos de su anterior incursión e ir a morir, abrupto y cerca, de idéntica y maliciosa manera.

Un momento de alivio, y hasta de esperanza en el ánimo de sus indulgentes víctimas.

¡Ilusión!, porque después de muy breve tregua, el alzarse y venir de otro soplo más, con sus consiguientes bromas, llevadas esta vez al extremo de provocar severo temblor y desgarrar de ramas entre los eucaliptos, más el deshacer de rizos y trenzas de las niñas y el empecinarse en azotar y azotar las asustadas, palpitantes páginas de sus libros.

Hasta que, indignadas, sus dueñas, cerrándolos de un golpe, se incorporan y manteniéndolos fuerte bajo el brazo echan a andar camino del parrón... con el intruso siempre apegado a sus talones.

Intruso quien durante el circundar de la fuente se divierte en sorprender y hacer saltar dentro del agua a una ranita y a dos pequeños sapos acurrucados en su borde, los que, a su vez, originan, sin quererlo, un escurrirse alarmado de pececillos rojos allá en el fondo...

—¡Viento malo!

—¡Viento estúpido!

—¡Viento ocioso, que ya no sabe qué hacer! —increpan exasperadas, fuera de sí, las niñas.

Entonces, aquietando de golpe y como de costumbre su malvenido soplo, el interpelado refrena indefinidamente el próximo ímpetu para dejarlas caminar de vuelta a casa todo el largo del apacible parrón... en tanto el lento apagarse de un perezoso crepúsculo.

A lo lejos, el tañer melancólico de una campana.

Campana que, hoy lunes, las mismas niñas oyen de nuevo sonar, pero ahora a mediodía y bajo los tilos del Colegio de las Monjas Francesas de los Sagrados Corazones.

Toque de campana que a esta hora del recreo es mandato y llamado. Mandato de interrumpir juegos de croquet o pelota. Y llamado a inclinar la frente al recitar solemne de la Madre Superiora.

El recitar de aquellas primeras palabras que ha siglos vinieran a cambiar el curso de este mundo, así como el corazón del hombre.

"El ángel del Señor anunció a María".

Y alumnas y blancas monjitas asignados-vigilantes de los recreos. Y Manuel, el fuerte cuidador y jefe-jardinero, encaramado entre los tilos en activo despejar y cosechar de hojas. Más Felipe, el celoso trabajador-señor de la huerta, y hasta Matilde la flaca, orgullosa y recalcitrante portera... todos a un tiempo deteniendo faenas y ocupaciones para juntar las manos y responder a unísono.

"Y concibió por obra del Espíritu Santo".

Seguido, el rezar del primer "Dios te salve María", terminado el cual, vuelve el trémulo recitar de la Superiora.

"He aquí la esclava del Señor".

"Hágase en mí según Tu palabra"... Se responde otra vez a coro, pero ya en un declinar de voz y desde algo así como de una tierna, distante emoción. Y viene el segundo "Dios te salve María" durante cuyo rezo empezaba a hacerse paulatino aquel único, recogido silencio.

Ni un solo, ni el más leve ruido. No más pasos ni deslizar de coches en la calle Álvarez a la vera del Convento.

Apagado el chasquido y susurro de las aguas regando el césped en los jardines vecinos.

Callado el abrir y cerrar de tijeras de podar... así como el crujir ronco y rítmico del tronco añoso de aquel árbol, balanceándose airoso a toda hora del día en un apartado rincón de parque.

La avenida de tilos de pronto inmóvil, ella también.

Las doradas florecitas de los aromos reteniendo, tímidas, su aliento oloroso.

Y el sol, sí, hasta el propio sol, velando su faz de luz tras de alguna nube, parece rezar, él también, con los que aquí abajo, a la sombra tenue de su entreluz, dicen calladamente su oración hasta el venir solemne de las próximas palabras.

"Y el Verbo se hizo carne".

Para responder junto con ellos.

"Y habitó entre nosotros".

Aquí el tercer Ave María, en el curso del cual, ánimo cansado, las niñas empiezan una a una a desprenderse de aquel momento de intimidad con ese algo o alguien que llamamos el alma... para continuar rezando, pero ahora tan sólo con los labios... hasta a aquellos últimos, cortos, repetidos toques de campana marcando el final del Angelus, así como el permiso a un precipitado regreso y huir a los juegos y al bullicio.

¡Huían, huíamos!, me digo aquí, en Nueva York, después de tantos años.

Huíamos para regresar a lo cotidiano y a lo tangible. Sí, huíamos, pero guardando siempre en este triste juego de la vida el recuerdo de aquellos minutos de inexplicable emoción, recuerdo que suele despertar en nosotros, algún día, ya sea en consuelo, esperanza... o el resucitar del espíritu.

¡Y he aquí la confianza y la alegría volviendo en mí!, así como la fe absoluta que el Viña del Mar de mis días alienta, vive y vivirá siempre tras la fachada del balneario progresivo y dinámico.

Perdura su mar azul frío, y a sus orillas, estoy segura, alguna otra playa Miramar, en la que otros niños siguen jugando a mojar sus pies desnudos en sus aguas, y a cavar y construir en sus arenas, y a escalar e investigar, intrépidos, dentro de una nueva casta de rocas.

Y siempre, en algún banco perdido, uno que otro soñador, cultivando en secreto su locura.

Y Pilar, Pilar, Felicitas Subercaseaux, quiero decir su desencantado fantasma, lo sé y me consta, encontró en su río algunas de esas escondidas vetas comunicantes con nuestro mar, a fin de venir, vivir y revivir en el recuerdo de todos nosotros su belleza alada, su talento sutil, así como el intrépido, caprichoso gesto con que se despidió de la vida.

Perduran, Viña adentro, sus jardines con enredaderas de geranios siempre en flor, sus lluvias ligeras, sus tardes de sol y viento... durante las cuales niñas lúcidas leen, a hurtadillas y al abrigo de la sonrisa irónica del lector-detective y de ciencia-ficción, antiguos o nuevos libros de romántico amor.

Y madres modernas que, al mediodía, así como en su ayer, inclinan aún la frente para rezar con diplomático disimulo el Angelus dentro de su corazón.

Perduran sus noches en tibia luna y aquel su tren alma-en-pena junto con la tristeza, no dudo, en muchos de sus adolescentes desvelados...

Y esparcidos por el ancho mundo, ausentes, que como a mí el destino apartara de sus orillas y jardines... escuchan a veces, durante el sueño, el ritmo suspirado de su mar y marea... o bien que en el medio de aquel sentir de abandono que hace despertar y gemir bajito, oyen de pronto, en la lejanía de su propio ser, el decir y repetir de un canto.

Canto que suena ya alegre gorjeo, ya dulce, embaucadora melodía.

La Maja y el Ruiseñor —nombre que Granados diera a la más acongojada y tierna de sus suites Goyescas.

En ella la maja llora desesperadamente un amor perdido, mientras el ruiseñor canta y le canta para consolarla.

¡Enrique Granados, tantos años ha, muerto-trágico, ahogado, desaparecido!

Enrique Granados, errante-sumergido por los vastos mares... déjame decirte, ¡aunque tú ya has de saberlo!, que en estas páginas a las que doy el nombre que a ti te inspirara tu propia música, en estas páginas, repito, yo y los ausentes somos tu maja.

Viña del Mar, mi pueblo, tu ruiseñor.

Pequeño ruiseñor nuestro, al que, estoy segura, tú has subido, compasivo y eternamente joven, a enseñarle en tu piano encantado el gorjeo y melodía del tuyo.

Sí, de aquel otro Ruiseñor tuyo, el gracioso, el inefable, el que no muere, aquel Ruiseñor cuyo canto es y seguirá siendo algo así como furtiva presencia e insinuante, melancólico llamado.

Nueva York, 1959*

---

* Su primera versión fue publicada en la revista *Viña del Mar,* enero de 1960. La segunda, en la revista literaria *Círculo,* también de Viña del Mar, en noviembre de 1968.

WASHINGTON, CIUDAD DE LAS ARDILLAS[*]

A María Rosa Oliver

Ardilla: "Mamífero roedor, de pelaje rojizo y cola muy poblada".

Así define el *Pequeño Larousse Ilustrado* a las ardillas.

Me imagino que un hombre serio, un ensayista, por ejemplo, basándose en aquel axioma sería capaz de especificar en un artículo que las ardillas de América no tienen el pelaje rojizo, sino plomo —en el Canadá, a menudo negro—, y entraría luego a sostener la tesis de que las ardillas fueron traídas de Europa junto con el caballo. Entonces se complacería en una larga demostración tendiente a probar la evolución de todo lo europeo en América, desde el hombre hasta el vegetal. Un periodista empezaría, tal vez, su artículo en los siguientes términos: "Pululan las ardillas en los parques de Washington. Aquí, ese animalito, calificado de 'salvaje por naturaleza', viene a comer en la mano..." En fin, pedantes o no, todos los que escribieran sobre la ardilla sabrían adoptar ese tono impersonal que confiere tanta dignidad al escritor.

Pero para el infeliz poeta que escribe en prosa —y éste es mi caso— nada más difícil que encarar un artículo en tercera persona, ya que su especialidad consiste en desmadejar una serie de impresiones tan personales como, al parecer, alocadas. Clasificaremos, pues, estas líneas en el género de la divagación. He aquí una divagación sobre las ardillas:

---

[*] Publicado en revista *Sur* Nº 106, Buenos Aires, agosto de 1934. Se pensó incluirlo en *María Griselda* (1976), pero hasta ahora fue inédito en libro.

Nunca me atrevo a confesar la verdad cuando se extrañan de que, pudiendo vivir en Nueva York, me viniera a vivir a Washington. La verdad es que en Nueva York me sentía sola, de aquella soledad particular que no se siente sino cuando uno empieza a sentirse extranjero. Cuando pensaba en mi pasado, me parecía el pasado de otra persona, y no lograba juntarme con él, tan ajeno y distante lo sentía. ¡Y nuestro pasado, por muy triste que sea, es el único compatriota que en el extranjero nos permite reconocernos a nosotros mismos!

¿Debo confesar, además, que hasta empezaba a sufrir de terrores nocturnos? Tenía miedo de encontrar cabezas cortadas, por todos lados y una puesta encima de la cómoda y que me mirara estúpidamente como emergiendo de un inverosímil baño turco. Miedo de que la puerta del armario se empezara a abrir lenta, lentamente, y que de pronto... no, no quiero ni pensar en lo que imaginaba mi soledad del ente que empujaba la puerta del armario. Miedo de que mientras durmiera una voz insidiosa me soplara al oído la idea de tirarme por la ventana del piso veintiuno, adonde vivía, y que mi espíritu dormido no tuviera tiempo de reaccionar para retener mi cuerpo sonámbulo. Miedo de que al abrir la canilla del agua caliente, el cuarto se llenara de leones. Miedo, en fin, miedo.

¡Quién no ha tenido alguna vez miedo en las noches, por lo menos de niño! Los que no tuvimos miedo de niños debemos pagarle su tributo al miedo de grandes, con la erudición aumentada, la que intensifica y complica aún más el suplicio.

—Pero, ¿y las ardillas?

Fue por aquel tiempo que me vi obligada a venir a Washington, de pasada. Era un día gris, de esos días en que la tristeza cae del cielo como una lluvia. Atardecía cuando me tocó atravesar un parque...

De pronto, sentí unos pasos muy livianos entre la

hojarasca otoñal. Me detuve. Y entonces vi y presencié encantada la sigilosa huida de una ardilla.

Pasó delante de mí, huraña y elástica. Dos veces se dio vuelta para mirarme, luego reanudó su carrera, que más parecía una danza caprichosa y burlona. Y fue como si su pasar veloz hubiera removido tiernamente la tierra de mi corazón.

La garra que me oprimía la garganta empezó a desapretar sus horribles uñas de hierro.

—¡Ardilla! ¡Ardilla! —murmuré. Y una serie de recuerdos pueriles empezaron a llover sobre mí, como si una primavera hubiera reemplazado la llovizna de mi tristeza y estuviera sacudiendo ramas floridas a mi alrededor. Y era una primavera, en efecto. La primavera de mi niñez...

¡Tarjetas postales enviadas desde otro continente hasta un lejano país estrecho, hasta una playa en donde el negro océano Pacífico estrella constantemente su lomo frío y poderoso!

Tarjetas postales: Una ardilla arrastrando una plateada brizna de árbol de Navidad. Una familia de ardillas anidando en el hueco de un árbol cargado de nieve. Lagunas heladas, y niños de rojas bufandas patinando sobre el hielo. Sombríos pinos agujereados de estrellas y de escarcha.

Ah, mis hermanas y yo deseábamos entrar en aquellas tarjetas postales. No nos cansábamos de mirarlas. Durante nuestras convalecencias, o cuando se nos retenía castigadas en el cuarto, el álbum de nuestras tarjetas postales era nuestra evasión; como lo es ahora algún libro, la poesía o la música.

—Mamá —preguntábamos—, ¿cómo es la nieve?... Es fría, claro, eso ya lo sabemos ¿pero es dura, mamá?... ¿Y qué gusto tiene? Si mordiéramos una de las pelotas de nieve con que estos niños están apedreando a esa figura, ¿qué nos pasaría?... Díganos, mamá, y estas ardillas ¿rasguñan?

—¡Claro que rasguñan! ¡No ven que tienen cara de brujas!

Es así como nuestra madre nos enseñó, desde muy niñas, que todos los sapos son príncipes y llevan una coronita en la cabeza; que debajo de ciertas caracolas se suele encontrar una sirenita llorando, y que las ardillas son todas brujas, unas brujas juveniles y traviesas, pero brujas, a pesar de ello.

¡Oh mis queridas brujas que en Washington me devolvieron el sueño y la alegría!

Salgo al balcón y las miro.

Son muchas, muchas. Algunas prescinden de mí y revolotean impúdicas en el pasto. Otras se enojan porque las observo correr cargando una hoja y, deteniendo su tarea, me lanzan miradas furibundas. Otras están acurrucadas inmóviles entre la hojarasca, marcando los segundos con su pequeño corazón. Pero nadie lo sabe, nadie. Son como relojes perdidos que laten por su cuenta.

Una vez, me acuerdo, una amiga me llevó a una joyería. De todas las vitrinas sacaron alhajas que acumularon ante ella. El joyero tomó un reloj diminuto, un reloj no más grande que una almendra muy chica, le dio cuerda y luego de haber hecho saltar, mediante una leve presión, la tapa ligera como una lágrima de oro, procedió a mostrarnos la maquinaria: estaba toda punteada de rubíes. ¡Una infinidad de martillos y de ruedas dentadas latían rítmicamente; y sin embargo todo aquello hubiera podido caber dentro de una almendra minúscula...!

—La cuerda le dura más de cuarenta y ocho horas —nos advirtió orgullosamente el joyero, mientras yo observaba atenta y conteniendo la respiración, tal como se mira trabajar a una hormiga, la lucha acompasada de aquella maravilla. De pronto, alargando su enorme mano con un ademán de *croupier* que arrasa las fichas, barrió prestamente su tesoro para enterrarlo amontonado en un cajón de terciopelo.

Quedé aterrada.

—Vámonos, ya —me dijo mi amiga y me preguntó—: ¿Qué te pasa?

—Nada —le contesté, como se debe hacer siempre en semejantes ocasiones y con semejante gente—. Nada. Estaba distraída. —Y la seguí.

"La cuerda le dura más de cuarenta y ocho horas". Aquella noche desperté muchas veces pensando en aquel pobrecito reloj, sepultado vivo en las profundidades de un cajón, entre tanto metal muerto; viviendo por su cuenta con su pequeño corazón punteado de rubíes, marcando el tiempo para él solo. ¡Oh, heroico, inútil, maravilloso!...

¿Qué hacen, qué piensan, qué utilidad prestan, para qué viven las ardillas?, me preguntan.

Pues, para jugar y contemplar. Para que no se pierda la noción del juego en el mundo, y para contar los minutos inadvertidos como aquel reloj. Para que nada se pierda.

¡Piensen ustedes en todo lo que se pierde, día a día, en Washington! Porque aquí, la Gran Máquina del Mundo requiere la constante atención de todos. Se dictan decretos y *blackouts*. Llegan y se van ministros, taciturnos y febriles. Y le echan carbón a la Máquina. Y la Máquina anda, suena y truena, y vomita resplandores rojizos como un dragón su fuego por las fauces. Y sucede que a veces se cansa y se tumba, y jadea, y llora, llora lágrimas de sangre. Y hay que enjugar su pobre cuerpo de hierro, empapado; y ayudarle a levantarse; y convencerla que es necesario que siga caminando.

Sí, esta Máquina sincera, terrible y contradictoria precisa ser atendida con urgencia, antes que los amaneceres, atardeceres y el amor, leyes naturales que pueden esperar.

Sin embargo el día corre, un solo día, único y que nunca volverá. Porque todo corre a un fin, todo corre a su formación y luego a su destrucción o transformación.

Y el mundo también —solitario planeta momentáneamente enardecido—. Dentro del Tiempo, esta Era nuestra del hombre y del árbol no significará tal vez sino el breve y furioso incendio de una mísera partícula del gran sistema astral.

¡Oh, lo que nunca volverá y que no fue captado!

De todos los segundos de belleza inadvertida o perdida es de lo que gozan las ardillas, prestándoles un sentido y una utilidad.

Por ellas no se pierde ni un solo reflejo de la mañana. Una vez evaporadas las gotas de rocío, son ellas quienes lo siguen captando, como en otro prisma, vivo y consciente.

Y gozan asimismo de cada accidente del día en su transcurso. De una breve hora de neblina, de un puntazo de sol, de un soplo de viento, y de las hojas secas recién desprendidas y revoloteando como pájaros duros alrededor de su propio esqueleto: el árbol desnudo y ceniciento; y de los aromas pesados que empiezan a alentar las flores cuando va a llover.

A menudo, buscan ciertos lirios sombríos, de esos que tienen la raíz hundida en el corazón de Isolda. Y cavando el limo con sus uñas se adentran en una tierra llena de murciélagos y de gemidos, de algas celestes y de blandos pozos de humo.

Por las noches, aguzando el oído, percibo los pasos de ciertas ardillas intrusas aventurándose por las calles de este gran jardín otoñal que es Washington, y las oigo escurrirse por los cercos vivos y me las imagino asomándose a las últimas ventanas iluminadas.

He aquí la "casa del amor". Muchos tules entrecruzados velan el milagro produciéndose tras el balcón encendido. Pero algo así como las alas de un gran pájaro de seda parece golpear dulcemente, los vidrios, o tal vez a ratos, más bien, una gran campana de oro, desordenada y febril. Y del corazón de las ardillas en acecho empiezan a subir, como del fondo de un agua dormida, millares de burbujas de plata; millares de sentimientos, de ideas, de añoranzas.

He aquí la "casa después del baile". La niña se está quitando los aretes. Un admirador le ha regaladdo un gran pañuelo estampado, tan fino que parece hecho de telaraña. ¿Dónde ha visto ella ese pañuelo? Está bordeado de una guirnalda celeste tan tupida y tan viva que se lo aplica al oído, como para oírle un murmullo de abejas. "¿Dónde he visto yo antes este pañuelo?", se pregunta, sin saber que aquel pañuelo está desde toda la eternidad tejido a la trama de su vida. Las ardillas lo saben, pero no se lo dicen. ¿De qué le serviría a la pobre niña conocer el destino de lágrimas que junto con el pañuelo y su donador le tiene asignado una fuerza superior e implacable?

Pasemos a la "casa del olvido", que los minutos corroen por dentro y por fuera. Las enredaderas de la fachada se desmoronan sin que nadie las ayude a levantarse. Y se desmoronan los libros de la biblioteca dentro del salón cubierto de polvo. Y en vano las ardillas golpean vivarachas a la ventana de "la que se quedó sola". Ha tomado veronal para dormir; se ha escurrido en un pozo muy hondo en donde senderos de sombra se bifurcan en senderos de más sombra...

¡Mis brujas! Vienen a mí apenas las invoco para conjurar mis miedos. Vienen y me miran con sus ojos intactos, redondos y duros como cuentas negras. Y pasan, y corren con sus colas caprichosas; todas distintas y todas iguales, cabalgando en sus escobas de juguete.

Y en su carrera de encanto, algunas se enredan en mi colcha, otras se trepan por las cortinas, muchas se caen para irse a ahogar, allá arriba, en el vasto abismo del cielo, en donde las estrellas, hormigas de fuego, las devoran luego sin piedad.

¡Son locas, sí! Son locas y brujas. Pero los Héroes de la Máquina las toleran con ternura y tal vez las consideren necesarias. El hecho es que velan sobre ellas con benevolencia.

Como se hablara de expulsar a un griego, vendedor ambulante de los parques de Washington, Mrs. Roosevelt se opuso terminantemente, considerando que éste vendía menudencias y comida para las ardillas. Sí, las ardillas lo necesitaban, y Washington necesita a sus ardillas. Y me es grato terminar esta divagación con una seguridad de vida para aquel mundo que se mueve inocente, y al parecer inútil, entre la urgente tragedia de la Máquina.

Ahora nieva. El cielo está negro y mudo, pero el suelo blanqueado resplandece. ¡Ah, la triste magia azul de la nieve!

Es como si la tierra se hubiera tragado a la luna, me cuenta una ardilla.

MAR, CIELO Y TIERRA*

Sé muchas cosas que nadie sabe. Conozco del mar y de la tierra infinidad de secretos pequeños y mágicos.

Sé, por ejemplo, que aguas abajo, más abajo de la honda y densa zona de tinieblas, el océano vuelve a iluminarse y que una luz dorada e inmóvil brota de gigantescas esponjas refulgentes y amarillas como soles. Toda clase de plantas y de seres helados viven allí sumidos en esa luz de estío glacial, eterno: actnias verdes y rojas se aprietan en anchos prados vivos a los que se entrelazan las transparentes medusas que no rompieron todavía sus amarras para emprender por los mares un destino errabundo; duros corales blancos se enmarañan en matorrales extáticos por donde se escurren peces de terciopelo sombrío que se abren y se cierran blandamente, como flores; hay hipocampos cuyos crines de algas se esparcen en lenta aureola alrededor de ellos cuando galopan silenciosos, y si se levanta a ciertas caracolas grises, de forma anodina, se suele a menudo encontrar debajo a una sirenita llorando.

Sé de un volcán sumergido en constante erupción; su cráter hierve incansable día y noche y sopla espesas burbujas de lava plateada hacia la superficie de las aguas.

Sé que en las horas de bajamar quedan al descubierto, en las rompientes, pintados lechos de delicadas

* Publicado en la revista *Saber Vivir*, Nº 1, Buenos Aires, agosto 1940. Fue reproducido por el diario *La Época* (inédito en libro).

anémonas, y compadezco al que huelle esa alfombra ardiente que devora.

Sé de golfos repletos de espumas eternas por donde los ponientes arrastran pausadamente sus innumerables colas de arco iris.

Existe una ahogada muy blanca y enteramente desnuda que todos los pescadores de la costa tratan en vano de recoger en sus redes... pero tal vez no sea más que una gaviota extasiada que llevan y traen las corrientes del Pacífico.

Conozco los escondidos caminos, las venas terrestres por donde el océano filtra las mareas, para subir hasta las pupilas de ciertas mujeres que nos miran de pronto con ojos profundamente verdes.

Sé que los buques que se han caído por la escalera de un remolino siguen viajando siglos abajo por entre arrecifes sumergidos; que sus mástiles enredan enfurecidos pulpos y que en sus bodegas anidan estrellas de mar.

Todo eso sé del mar.

Sé de la tierra, que quien desprenda la corteza de ciertos árboles encontrará adheridos al tronco, durmiendo, mansas mariposas polvorientas que el primer rayo de luz traspasa y deshace como un implacable alfiler impío.

Recuerdo y veo un parque otoñal. En sus anchas avenidas se amontonan y pudren las hojas y debajo palpitan tímidos sapos color musgo que llevan una coronita de oro en la cabeza. Porque nadie lo sabe, pero la verdad es que todos los sapos son príncipes.

Temo, con un pavor desmedido de niño, a la gallina ciega. La gallina ciega es color de humo y vive echada debajo de los matorrales, semejante a un mísero montón de cenizas. No tiene patas para caminar, ni ojos para ver; pero suele levantar el vuelo ciertas noches con alas cortas y espesas. Nadie sabe adonde va, nadie sabe de dónde viene, al amanecer, tinta en sangre que no es la suya.

Conozco una lejana selva del sur en cuyo suelo de

limo se abre un agujero estrecho y tan profundo que si te echas de bruces sobre la tierra y pones el ojo, divisarás allá abajo, igual que al extremo de un largavista, algo así como un polvo de oro que gira vertiginosamente.

Pero nada es más imprevisto que el nacimiento del vino. Porque no es cierto que el vino nazca bajo el cielo y dentro de la uva prieta de agua y de sol. El nacimiento del vino es tenebroso y lento; yo sé mucho de ese crecer furtivo de asesino. Una vez clausuradas las puertas de la fría bodega y después que las arañas han tendido sus primeras cortinas, es cuando el vino se decide a despuntar del fondo de las grandes tinajas herméticamente cerradas. A la par de las mareas, el vino sufre la influencia taciturna de la luna que ora lo incita a retraerse, ora lo ayuda a refluir. Y es así como nace y crece en la oscuridad y el silencio de su invierno.

Puedo contar algo más de la tierra. Sé de una región desértica adonde un pueblo ha quedado sepultado en los médanos, tan sólo emerge la aguja de la torre de la iglesia. En las noches borrascosas todos los rayos de la tormenta se precipitan sobre la flecha solitaria erguida en medio de la llanura, y se enroscan en ella, silbando, para hundirse luego en la arena. Y cuentan que, entonces, la torre desaparecida se estremece de arriba abajo y se oye resonar un tañido subterráneo de campanas...

El cielo, en cambio, no tiene ni un solo secreto pequeño y tierno. Implacable, despliega entero por encima de nosotros su mapa aterrador.

Me gustaría creer que tengo mi estrella, la que veo despuntar primero y brillar un instante para mí sola una cada anochecer, y que en esa estrella mis pasos tienen un eco y también mi risa y mi voz. Pero ¡ay! demasiado sé que no puede haber vida de ninguna especie allí donde los átomos cambian de carácter millones de veces por segundo y donde ninguna pareja de átomos puede permanecer unida.

Hasta miedo me da nombrar el sol. ¡Es tan poderoso! Si nos interceptaran su radiación, el curso de los ríos se detendría inmediatamente.

Apenas si me atrevo a hablar de un cóndor que los vientos empujaron fuera de la atmósfera terrestre y que, vivo aún, cae en el espacio infinito desde hace incontable número de años.

Tal vez la súbita caída de las estrellas fugaces responde a un llamado previsto desde la eternidad, que las precipita a integrar determinadas figuras geométricas, hechas de relucientes astros incrustados en un rincón apartado del cielo. Tal vez.

Y no quiero, no quiero hablar más del cielo; porque le temo y temo los sueños con que se introduce a menudo en mis noches. Entonces me tiende una escalera estelar por la que subo hasta la bóveda rutilante. La luna deja de ser un pálido disco pegado al firmamento para convertirse en una bola escarlata que rueda solitaria por el espacio; las estrellas se agrandan en un parpadeo de rayos, la vía láctea se aproxima y derrama oleadas de fuego. Y, de segundo en segundo, yo más al borde de aquel precipicio abrasador...

No; prefiero imaginar un cielo diurno por donde deambulan castillos de nubes en cuyas flotantes estancias aletean las hojas secas de un otoño terrestre y los cometas de papel que perdieron, jugando, los hijos de los hombres.

PUERTA CERRADA[*]

"Hay que entrar en el juego; la gente no sabe entrar en el juego", protesta Jorge Luis Borges cuando le oponen reticencias o sonrisas incrédulas a alguna ingeniosa construcción imaginativa porque no descansa sobre ciertos puntales lógicos, tan arbitrarios como ineptos, en que la mayoría de las personas se empecinan en apoyarse.

Entrar en el juego. Había aquí motivo para una serie de reflexiones trascendentales; por ejemplo: que el grueso público no quiere entrar nunca en el juego de la poesía; que las mujeres no quieren arriesgarse nunca en el juego del amor; que media humanidad se resiste a aceptar el juego de la vida, etc. Pero quiero hablar de un juego mucho más accesible, de un juego popular y cotidiano: el del cinematógrafo.

"¡Qué inverosímil, qué cursi!" Con estos reproches el público y hasta los críticos acogen películas cuyos méritos debieran ser juzgados precisamente en base de lo inverosímil y lo cursi. Y luego de haber hecho su reparo, unos y otros se sienten en paz con la inteligencia y el buen gusto.

Es posible, sin embargo, que esté calumniando un tanto al público y a la crítica. Mal pueden el público y la crítica entrar en el juego, cuando, por lo general, los argumentistas y los directores de las películas en cuestión tampoco aciertan a entrar en el juego. Son tan ingenuos

* Publicado en la revista Sur, Nº 53. Buenos Aires, febrero 1939, pp. 78 y ss. (inédito en libro).

que aun tratando un asunto ingenuo desdeñan ser enteramente ingenuos, son tan cursis que no se atreven a complacerse en lo cursi de miedo, sin duda, de mostrar hasta qué punto son congénitamente cursis. Y es por esta razón que casi todos los melodramas cinematográficos son ineficaces porque sus propios autores, directores (y a menudo hasta los actores) desconocen el sentido y la gracia del melodrama.

Luis Saslavsky, argumentista y director admirable de *Puerta cerrada*, ha sabido entrar en el juego y junto con él sus colaboradores. Todos han entrado en el juego con entusiasmo, con elegancia, con una sonrisa entre burlona y tierna y con una gran probidad artística. Resultado: *Puerta cerrada* es probablemente el mejor filme argentino que se haya realizado hasta la fecha, y un filme perfecto en su género dentro de la cinematografía mundial.

Nada de trampas ni de temores en el argumento. *Puerta cerrada* es el perfecto y eterno melodrama con sus tradicionales situaciones y sus tradicionales personajes. La actriz que sacrifica su carrera al amor, el hijo veleidoso y bohemio, cuya *mésalliance* reprueba la clásica familia aristocrática. Hay idilio, miseria, cartas interceptadas, crimen, cárcel, veinte años de cárcel para una inocente y luego, malentendidos y un sublime sacrificio de madre y finalmente la puerta cerrada de la casa señorial que se abre... demasiado tarde.

Luis Saslavsky ha puesto tanta habilidad, gusto y medida (medida no afectada ni intempestiva sobriedad) en la realización (dirección, fotografía, música y decorados); el diálogo se desarrolla con tanta inteligencia y certera psicología dentro de la arbitraria psicología propia del género, el ambiente es tan netamente característico (por primera vez en un filme argentino los personajes hablan como argentinos, por primera vez los malevos y las viejas tías de la honorable familia criolla y la dueña del inquilinato que reclama sus seis meses atrasados de alquiler, no aparecen disfrazados, tienen frases, actitudes y vestimenta auténtica) que todas las situaciones sin excepción, adquieren realidad, conmueven, emocionan como hechos reales.

Hasta los más mínimos detalles me parecen un acierto en este filme, porque me gusta que se encare con seriedad y convencionalismo lo convencional. Me gusta que llueva contra los ventanales del atelier-buhardilla de la pareja enamorada, me gusta la huida de los hermanos después del crimen (ella arrastrando una cola de encajes y llevando al hijo pequeño en los brazos), perseguidos por los policías de a caballo en la noche tormentosa. Y nada más lindamente teatral que esa salida de una reclusa a quien le entregan la ropa con que ingresó y que sale a errar por Buenos Aires de hoy con su vestimenta de fin de siglo. Y poético, sí, poético convencional, pero poético, el detalle del muchacho ciego que en cafetín de bajos fondos se pone a tocar *Claro de Luna* de Beethoven a la hora en que se dispersa en retirada la gente del hampa.

¡Y Libertad Lamarque! Alguna vez la vimos trabajar nacionales y nos sedujo su clara voz con pájaros, llena de juventud y de agua fresca, nunca pudimos apreciar su extraordinario temperamento dramático. Es en *Puerta cerrada* que la vemos actuar y moverse por primera vez con soltura, gracia y dignidad. Otro triunfo de Luis Saslavsky este de habernos descubierto (dirigiéndola) a una verdadera actriz por fin. A una actriz patética, de humildad, de emoción contenida, a una actriz más expresiva y más inteligente, no tengo miedo de escribirlo, que muchas de las grandes figuras de la pantalla.

APÉNDICE

DE MARÍA LUISA BOMBAL A SARA VIAL

Buenos Aires, 11 de noviembre de 1972

Querida Sara:

Como no soy crítico, y ni mucho menos crítico de poesía, trato sólo de expresar aquí lo que siento al leerte.

Sara Vial, eres un milagro poético.

Hoy día en que el poeta parece querer despojar a la poesía de su poesía, tú vienes a devolverle esa esencia perdida, el corazón.

Tu poesía, Sara, su emoción, sus alas, su misteriosa claridad... es como la aparición de un ángel, es como decir, la luz se ha hecho.

Ese verso tuyo que ya corre encendido y veloz como el pensamiento o bien nace, tiembla, levanta y recae suspirando con el ritmo de la ola, de la ola que nunca se equivoca; ese verso tuyo ¡qué bien sabe contarnos del mundo encantado de tu corazón!

Y como a un barco vengo para verte
no has naufragado aún sobre mi cerro

dices, y vemos, sentimos a esa vieja casa de tu infancia esperando solitaria, día, noche y lluvia con su

... persiana de ala rota
en un resto de pájaro sin dueño.

Tu mundo, Sara, ese mundo dulce y triste de tus muertos, de tu padre que no ha muerto cuando dices.

109

Por eso me parece que no es cierto
aún no ha sucedido
y a esa hora viva de los trenes
tú vienes de regreso

Y a mi vez quisiera correr junto contigo en el andén para alcanzarlo,

bajo el sol de las doce
del día y el gentío que lo empuja
sin notar su cansancio

y con lágrimas en los ojos

ayudarle a llevar su maletín.

De aquel mundo también ese niño, aquel vecino rubio cuya ventana se hablaba con la tuya, y cuya muerte tan rubia como él dejó

como una llave abierta en el pasado
sobre su prado más tierno...

Sara, noto de pronto que ésta torna a ser larga cita de tu poesía. Pero dime, ¿quién podría escribirte esa carta, en la que luego de conjurar tu nombre, lograra evitar que a sus palabras no afluyeran la magia de las tuyas?

Y vuelvo a tu mundo bajo esa luna que pasea por encima de los árboles como una gata blanca, que pasea por sobre tus mojados jardines, por sobre tu ciudad indecible con su mar infinito, e inquieto de gaviotas, de algas y barcos varados al viento, al viento que sabemos es loco marinero.

Pero hay más. Hay el vaho oloroso de la tierra, las aguas frío-plateadas de los ríos, cardos echando a volar su pecho blando y fantasmas, humildes fantasmas penando por una antigua mansión sin alfombras o al final de una avenida de eucaliptos.

Y más aún. Hay rosas y rocío dentro de las rosas, y una fuente callada, y un ángel relojero y muchos otros ángeles.

Y todos y todo vibrando y latiendo al compás del ordenado, profundo e inspirado latido de tu corazón, Sara Vial, pescadora de la luna, melodía de memoria.

Y quisiera aún decirte, se me ocurre, presiento, deseo creer que en algún secreto lejano lugar de alguno de los siete cielos, vela y aguarda otro mundo de maravilla, réplica del tuyo. Y me encuentro rezando porque ese mundo sea una de las múltiples moradas que Aquel que nos ama dijo iría a preparar para nosotros más allá de las estrellas.

MARÍA LUISA BOMBAL

Prólogo de *En la orilla del Vuelo*
Sara Vial
Editorial Losada, Buenos Aires, 1993.

DE JUAN GUZMÁN CRUCHAGA A
MARÍA LUISA BOMBAL

Viña del Mar, 10 de noviembre de 1976

Mi querida María Luisa:

Apenas leída tu *Historia de María Griselda* y conmovido
aún por la gracia y belleza de tu nueva creación, quiero
agradecerte, de corazón, que en la dedicatoria hayas tenido el generoso y noble gesto de acordarte de mí, y
decirte además todo lo que este fino regalo me significa
porque me llega de las manos mágicas tan admiradas y
queridas desde hace tanto tiempo, es decir, desde la
época en que escribiste *La amortajada, La última niebla*
y el prodigioso cuento *El árbol* que con el otro magnífico
A rodar tierras de D'Halmar son, a mi parecer, los más
hermosos que se han escrito en Chile.

La incomparable hazaña alcanzada por tu primer libro
te colocó en el plano más alto de nuestra literatura; su
poesía, su delicadeza y el dominio en el manejo de tus
soñadores personajes revelaron ya entonces el genio y la
maestría de tu obra que ha sido, es y será en el futuro
gratísimo hallazgo de los lectores de selección.

Sobrante creo comentar a mi vez tu delicada y fina
María Griselda después de leer las páginas definitivas
de nuestro genial Alone, de quien dijo el exigente y
gran novelista Ramón Pérez de Ayala que era el mejor
escritor actual de habla española, y de nuestra admirable Sara Vial. Adhiero plenamente a su justo y valioso
entusiasmo.

Recibe de nuevo mis agradecimientos más cariñosos y el más afectuoso abrazo de tu viejo amigo que siempre espera de ti lo maravilloso y lo inalcanzable.

JUAN GUZMÁN CRUCHAGA

DE ARTURO PRAT ECHAURREN A MARÍA LUISA BOMBAL

Santiago, 21 de enero de 1977

Querida María Luisa:

Quiero agradecerte el libro y la dedicatoria. Debo decirte que los dos relatos me encantaron. Pertenecen a aquello que yo amo, a aquello que yo creo.

Cada día quiero más encontrar mi esencia inicial y sé positivamente que en la historia de las dos hermanas, una debía morir junto a la agonía del bosque quemado, porque sus raíces secretas eran las mismas.

Siempre te confundí con la heroína de las *Islas nuevas,* con una pequeña ala de pájaro y muchas veces te la busqué mientras miraba tus ojos de pájaro marino.

Hay un misterio en ti. Tú no conoces tu ser astral que es el mismo de las heroínas de tus libros. Seres etéreos, lejanos, no de este mundo en que secretamente se dan signos que ellos esconden con vergüenza, como esa pequeña alita de pájaro en el hombro de Yolanda, o aquella luciérnaga que se le posaba a María Griselda para guiarla por el bosque, o la fantasía que hasta cuando Isolda dormía su cabellera seguía alentando y florecía de flores extrañas que arrancaba, atemorizada, al amanecer.

Para qué decirte el gusto que me has dado uniendo también mi nombre a estos relatos maravillosos.

Hay algo que huye y que es muy difícil definir porque no pertenece a nuestra envoltura material.

Con el recuerdo de Elenita y con el cariño de siempre

ARTURO PRAT ECHAURREN

P.D. A Sara Vial mis felicitaciones por el estudio tan profundo y con tanto cariño que de ti y de tus obras hace. ¿Cuándo la conoceremos?

ÍNDICE

DATE DUE

FEB 16 1998			
DEC 1 8 2000			

Demco, Inc. 38-293